LECTURES **ELi** S

Les Lectures ELI présentent une gamme
complète d'ouvrages où les grands
classiques de la littérature côtoient
des textes narratifs contemporains et
captivants. S'adressant à des lecteurs
de différentes tranches d'âge, elles sont
réparties en trois collections : Lectures
ELI Poussins, Lectures ELI Juniors et
Lectures ELI Seniors. Outre leur grande
qualité éditoriale, les Lectures ELI
fournissent un support didactique simple
et immédiatement accessible, en même
temps qu'elles capturent l'attention des
lecteurs grâce au fort impact artistique et
visuel des illustrations.

Victor Hugo

Les Misérables

Adaptation libre et activités: Pierre Hauzy
Illustrations: Simone Rea

LECTURES ELI SENIORS

Les Misérables
Victor Hugo
Adaptation libre et activités: Pierre Hauzy
Illustrations: Simone Rea
Révision: Mery Martinelli

Lectures ELI
Création de la collection et coordination éditoriale
Paola Accattoli, Grazia Ancillani, Daniele Garbuglia (Directeur artistique)

Conception graphique
Sergio Elisei

Mise en page
Diletta Brutti

Responsable de production
Francesco Capitano

Crédits photographiques
Shutterstock

© 2012 ELI S.r.l.
B.P. 6 - 62019 Recanati - Italie
Tél. +39 071 750701
Fax +39 071 977851
info@elionline.com
www.elionline.com

Police d'écriture utilisée 11,5 / 15 points Monotype Dante

Achevé d'imprimer en Italie par Tecnostampa Recanati
ERA 403.01
ISBN 978-88-536-0799-7

Première édition Février 2012

www.elireaders.com

Sommaire

Les épisodes enregistrés sur cédé sont signalés par les symboles :

Début ▶   **Fin** ◼

Jean Valjean

L'évêque de Digne

Javert

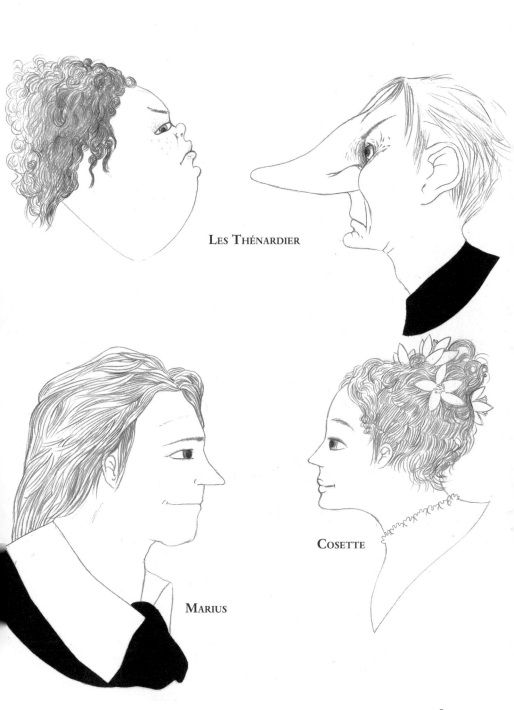

LES THÉNARDIER

COSETTE

MARIUS

7

Tant qu'il existera, par le fait des lois et des mœurs, une damnation sociale créant artificiellement, en pleine civilisation, des enfers, et compliquant d'une fatalité humaine la destinée qui est divine ; tant que les trois problèmes du siècle, la dégradation de l'homme par le prolétariat, la déchéance de la femme par la faim, l'atrophie de l'enfant par la nuit, ne seront pas résolus ; [...] tant qu'il y aura sur la terre ignorance et misère, des livres de la nature de celui-ci pourront ne pas être inutiles.

Victor Hugo, Hauteville-House, 1862.

Compréhension

1 **Lis les phrases puis rétablis la chronologie du récit.**

Dans les premiers jours du mois d'octobre 1815, une heure environ avant le coucher du soleil, un homme qui voyageait à pied entrait dans la petite ville de Digne. D'où venait-il ? Que venait-il faire dans cette petite ville de Provence ?

A ☐ Il marchait sans rien voir, les pieds sans bas dans des souliers ferrés, tenant à la main un énorme bâton noueux.

B ☐ Que faisait-il à Digne, si loin de chez lui ?

C ☐ Jean fut arrêté quelques instants plus tard.

D ☐ Perdu dans ses pensées, l'homme se dirigeait vers la mairie.

E ☐ De sa vie, il n'avait connu que les filles du malheur : la fatigue, la misère et la faim.

F ☐ Il faisait ce qu'il pouvait, mais ce n'était jamais assez : ses maigres salaires leur permettaient à peine de survivre l'été. L'hiver, ils avaient faim.

G ☐ C'était un homme de taille moyenne, trapu et robuste, dans la force de l'âge. Il pouvait avoir quarante-six ou quarante-huit ans.

H ☐ La nouvelle fit immédiatement le tour de Digne : un forçat dans la ville !

I ☐ Son visage, brûlé par le soleil ruisselait de sueur.

J ☐ Jugé, condamné à cinq ans de travaux forcés en 1796, il fut envoyé au bagne de Toulon.

K ☐ Toutes les portes se fermèrent.

L ☐ Et y resta dix-neuf ans : cinq pour avoir cassé un carreau et pris un pain, quatorze pour avoir tenté de s'évader quatre fois.

M ☐ Sans doute avait-il marché tout le jour. D'où venait-il ?

N ☐ Orphelin très jeune, il avait été recueilli par sa sœur qui était mariée.

O ☐ Émondeur à la morte saison, il devenait moissonneur l'été, puis manœuvre, garçon de ferme, bouvier, homme de peine ...

P ☐ Il se nommait Jean Valjean.

Q ☐ Ce voyageur tout couvert de poussière était un ancien forçat, libéré quatre jours plus tôt du bagne de Toulon.

R ☐ Les cheveux étaient ras, la barbe longue. Personne ne le connaissait. Il paraissait très fatigué.

S ☐ Chassé de partout, l'inconnu s'était allongé sur un banc de pierre pour y passer la nuit, lorsqu'une vieille femme lui indiqua la maison de l'évêque.

T ☐ Il entra dans un grand bâtiment au bout d'une place et se présenta au bureau de police, son passeport jaune d'ancien bagnard à la main.

U ☐ Ses vêtements râpés, troués par endroits et rapiécés avec de la grosse ficelle lui donnaient un aspect si misérable que les habitants qu'il croisait sur son chemin le regardaient avec une sorte d'inquiétude.

V ☐ Un dimanche soir, n'en pouvant plus d'entendre les enfants pleurer, il brisa la vitrine d'un boulanger et vola un pain, que les malheureux n'eurent même pas le temps de manger.

W ☐ « Allez frapper chez Monseigneur Myriel, lui dit-elle, il vous ouvrira. C'est un homme de cœur qui ne se fie pas aux apparences. Vous aurez une bonne soupe et un lit. »

X ☐ Lorsque son mari mourut, Jean éleva les sept enfants de sa sœur comme un père.

Y ☐ L'homme pouvait payer ; il avait le salaire qu'on lui avait compté en sortant du bagne, mais aucun aubergiste n'accepta de lui donner une soupe et un lit.

Z ☐ L'agent le regarda sévèrement puis, sans dire un mot, appliqua un tampon sur le document.

Chapitre 1

Le maire de Montreuil-sur-Mer

▶ 2 *Montreuil-sur-Mer. 1821*

Un matin, la tranquillité de Montreuil-sur-Mer, petite ville du Nord, fut troublée par un grand bruit sourd. Dans le silence qui suivit, les passants se précipitèrent instinctivement vers l'endroit d'où était venu le fracas. Un vieil homme, nommé Fauchelevent, gisait sur le sol, coincé sous sa charrette. Le cheval qui la tirait avait glissé et s'était abattu entraînant avec lui le charretier et son chargement. L'animal avait les cuisses cassées et ne pouvait se relever ; quant au vieillard, il était immobilisé entre les roues. Impossible de le dégager autrement qu'en soulevant la charrette par-dessous. Le pauvre homme poussait des râles lamentables.

Le maire, alerté par les cris, se fraya un passage au milieu de la foule.

– A-t-on un cric* ?

– J'ai envoyé quelqu'un, répondit un homme en redingote noire.

– Ah, c'est vous, Inspecteur Javert ! Vous avez bien fait. Dans combien de temps l'aura-t-on ?

– Il faudra bien un bon quart d'heure, Monsieur le maire.

– Un quart d'heure !

Il avait plu la veille, le sol était détrempé*, la charrette s'enfonçait

---

cric outil servant à soulever les véhicules.
détrempé très mouillé, imbibé d'eau.

dans la terre à chaque instant et comprimait de plus en plus la poitrine du vieux charretier. Il était évident qu'avant cinq minutes il aurait les côtes brisées*.

– Trop tard ! dit le maire aux hommes qui regardaient. Écoutez, il y a assez de place sous la voiture pour qu'un homme s'y glisse et la soulève avec son dos. Rien qu'une demi-minute, et l'on tirera le pauvre homme. Y a-t-il ici quelqu'un qui ait des reins et du cœur* ? Cinq louis d'or à gagner !

Personne ne bougea dans le groupe.

– Dix louis.

Les hommes baissaient les yeux. Quelqu'un murmura :

– Il faudrait être diablement fort. Et puis, on risque de se faire écraser !

– Allons ! Vingt louis !

Même silence. Cependant la charrette continuait à s'enfoncer lentement. Fauchelevent râlait et hurlait :

– J'étouffe ! Ça me brise les côtes ! Un cric, quelque chose ! Ah !

Madeleine regarda autour de lui :

– Il n'y a donc personne qui veuille gagner vingt louis et sauver la vie à ce pauvre vieux ?

– Moi, à leur place, je ne me ferais pas tant prier, dit une jeune femme dans l'assistance. Vingt Louis, c'est une belle somme !

Sa voisine la regarda. La jeune femme venait d'arriver, attirée par l'attroupement qui s'était formé autour de la charrette. Elle avait posé son gros sac à côté d'elle et regardait les gens comme si elle cherchait à rencontrer un visage familier.

– Il faudrait que vous soyez diablement plus forte, ma petite.

---

les côtes brisées les os de la poitrine cassés.
qui ait des reins et du cœur qui ait de la force et du courage.

Même en homme, je ne vous vois pas soulever un poids pareil ! dit sa voisine en la dévisageant*.

– N'empêche, dit la jeune femme, il doit être bien riche, ce monsieur si distingué*.

– Je pense bien qu'il est riche, c'est notre maire, monsieur Madeleine. On voit que vous n'êtes pas d'ici, vous.

– C'est donc si riche un maire ? dit la jeune femme sans répondre à la question de la femme.

– Monsieur Madeleine est plus qu'un maire, c'est notre bienfaiteur.

– J'aurais tant besoin qu'on me fasse un peu de bien, à moi aussi.

– Chut ! Regardez !

Monsieur Madeleine était tombé à genoux et s'était glissé sous la voiture. Il y eut un affreux moment d'attente et de silence. Tout à coup on vit l'énorme masse s'ébranler, la charrette se soulevait lentement, les roues sortaient à demi de l'ornière*. On entendit une voix étranglée par l'effort :

– Vite ! Aidez-moi !

Alors, les hommes se précipitèrent. Le dévouement d'un seul avait donné de la force et du courage à tous. La charrette fut enlevée par vingt bras. Le vieux Fauchelevent était sauvé. Le maire se releva. Il était blême, quoique ruisselant de sueur. Ses habits étaient déchirés et couverts de boue. Tous se pressaient autour de lui, on le félicitait ; le vieux Fauchelevent lui baisait les mains. Les femmes applaudissaient. Seul l'homme en redingote noire était resté à l'écart. Il avait observé toute la scène sans dire un mot, sans trahir la moindre émotion, et regardait à présent fixement le maire de Montreuil. Madeleine sentit son œil froid et perçant* posé sur

---

en la dévisageant en la regardant attentivement.
distingué remarquable.

ornière sillon creusé par les roues de la voiture dans le sol.
perçant aigu, pénétrant.

lui ; un instant leurs regards se croisèrent : Javert baissa les yeux et disparut.

– Votre maire a sauvé la vie de ce vieil homme, dit la jeune femme à sa voisine.

– Il en a sauvé bien d'autres, vous savez. Lorsqu'il est arrivé dans notre ville, voilà presque six ans, les pauvres étaient la seule richesse de Montreuil. Grâce à lui, aujourd'hui, ils ont tous de quoi nourrir leurs enfants.

– Il distribue donc son argent comme ça, à tout le monde ?

– Qui vous parle de charité ? Monsieur Madeleine est manufacturier, c'est même le plus gros fabricant de la région. Les jais, vous connaissez ?

– Non.

– Mais si, voyons, les *roches noires*… les colliers et les bracelets en faux verre ! Ce sont des imitations, bien sûr, mais si bien faites qu'on s'y tromperait.

– Et ça se vend, ces choses-là ? demanda l'inconnue qui n'avait jamais possédé de bijoux, même faux.

– Et comment ma fille ! Deux ateliers de fabrication, et des commandes de partout en Europe !

– Il y a donc du travail par ici ? dit la jeune femme visiblement intéressée.

– Du bon travail, honnête et bien payé. C'est quelqu'un notre monsieur Madeleine ! D'ailleurs, le roi en personne l'a nommé maire de la ville l'année dernière. Et modeste avec ça, il voulait refuser. Mais est-ce qu'on recule devant le bien qu'on peut faire ?

– J'ai bien besoin de travailler, moi aussi. Croyez-vous que…

– Êtes-vous mariée ?

– Je suis veuve*, Madame. Je m'appelle Fantine.

– Si jeune ! Pauvre petite… Enfin, ce que j'en disais c'était pour vous avertir : monsieur Madeleine n'embauche que des jeunes filles et des femmes sérieuses.

– Quand mon mari est mort, j'étais ouvrière à Paris.

– À Paris ?! Pourquoi êtes-vous donc venue vous perdre ici, à Montreuil ?

– C'est que j'y suis née, Madame. Et comme je n'avais plus d'ouvrage à Paris...

– …Vous avez décidé de rentrer au pays. Allons, venez, je vais vous présenter à la surveillante de l'atelier, c'est elle qui s'occupe de l'embauche*.

De retour au poste de police, l'inspecteur Javert était songeur. Depuis un an qu'il exerçait ses fonctions à Montreuil, le maire de la ville ne cessait d'occuper ses pensées. Il était sûr d'avoir déjà vu cet homme quelque part, mais où ? Avant d'être nommé à Montreuil, Javert avait été pendant de longues années surveillant au bagne de Toulon, à plus de mille kilomètres de là. Des forçats, il en avait côtoyé beaucoup, condamnés à de lourdes peines. S'il y avait eu un notable comme ce Madeleine parmi eux, il s'en souviendrait. À moins que… Javert n'osait aller au bout de sa pensée, la ressemblance était si évidente et en même temps si absurde que sa raison se refusait à en tirer une quelconque conclusion. Quant à la petite enquête qu'il avait secrètement menée, elle ne lui avait rien appris, ou presque : les traces de l'homme se perdaient le jour de son arrivée en ville, un soir de décembre 1815. Un jour mémorable, d'ailleurs, car un incendie s'était déclaré* à la

---

veuve femme dont le mari est mort.
embauche action de fournir un travail à quelqu'un.

s'était déclaré avait commencé.

gendarmerie ce soir-là. Javert avait lu le rapport et les témoignages des personnes présentes sur les lieux. On avait vu l'homme poser son sac et se jeter au péril de sa vie dans le feu, sauvant ainsi les deux enfants du capitaine. « Si bien que personne n'a pensé à lui demander son passeport, conclut Javert, que cet oubli contrariait. Finalement, on ne sait de cet homme que ce qu'il en a dit lui-même. » Soupçonneux par nature, l'inspecteur avait la réputation de ne jamais lâcher prise, comme ces chiens qui, lorsqu'ils suivent une trace ne la perdent plus. Il avait donc écrit à la préfecture de police. À tout hasard*.

L'accident de ce matin, était une nouvelle coïncidence. Une de plus, mais précieuse, par contre, car elle lui permettait de mettre finalement un nom sur ce visage qui ne lui revenait pas. Certes, en sauvant le vieux Fauchelevent, ce monsieur Madeleine n'avait pas agi autrement que le soir de l'incendie : mais il y avait cette fois plus que du courage, il y avait la force, une force prodigieuse, rarissime, inoubliable. Et le nom de Jean-le-Cric apparut à Javert, en même temps que la scène dont il avait été témoin autrefois à Toulon. Comme il surveillait les travaux de réfection du balcon de l'hôtel de ville, il avait vu une des cariatides se desceller. Le balcon se serait effondré si l'un des bagnards qui se trouvait là, et que tous surnommaient Jean-le-Cric à cause de sa force surhumaine, n'avait soutenu de l'épaule la cariatide, donnant aux autres le temps d'arriver. Cet homme se nommait Jean Valjean.

Javert avait du flair, mais il n'avait pas encore de trace. Le mois suivant, il trouva finalement sa piste. Parmi les nombreux rapports de gendarmerie qu'il reçut, celui de Digne le remplit d'une joie froide : un certain Jean Valjean s'était présenté à la mairie le 7 octobre 1815, muni d'un passeport jaune. Il avait passé la nuit chez monseigneur

à **tout hasard** au cas où (on pourrait lui fournir des renseignements).

Myriel, évêque de Digne, connu de tous pour son immense bonté et sa générosité envers les pauvres. Le lendemain, l'individu s'était éclipsé à l'aube en emportant l'argenterie. Ramené à l'évêché entre deux gendarmes, le suspect avait été innocenté par monseigneur Myriel en personne, qui en avait profité pour lui remettre deux chandeliers en argent massif que l'ex-forçat aurait soi-disant 'oublié' avant de partir. « Admettons, se dit Javert après avoir lu la première partie du rapport, admettons qu'il n'ait pas volé l'évêque, encore que… certains serviteurs de Dieu sont bien trop indulgents envers la crapule. N'importe, ce qui suit ne fait aucun doute : « *Deux jours après le départ de Digne du dénommé Jean Valjean, un jeune ramoneur ci-devant Petit-Gervais, accuse un rôdeur rencontré dans un bois de lui avoir volé une pièce de quarante sous, fruit de son travail. La description qu'il fait de l'individu, ses vêtements, sa haute stature, son bâton indiquent clairement qu'il s'agit de Jean Valjean, libéré du bagne de Toulon le 1ᵉʳ octobre 1815.* » Récidiviste* ! Cette fois, c'est les travaux forcés à perpétuité, mon gaillard ! » Et Javert, triomphant, demanda à être reçu par le maire de Montreuil.

– Javert ! On m'a annoncé votre visite. Je termine cette lettre et je suis à vous, dit Madeleine en voyant entrer l'inspecteur. Mais asseyez-vous donc !

Sur ces mots, le secrétaire de mairie entra, brandissant* un journal.

– Monsieur le maire, regardez, on parle de nous à Paris !

– Pas en mal, j'espère, dit le maire en continuant d'écrire.

– Au contraire ! Villèle a cité la ville de Montreuil en exemple.

– Le ministre des finances ?!

---

récidiviste qui se rend coupable une nouvelle fois d'un crime pour lequel il a été précédemment condamné.

brandissant tenant un journal de façon à le montrer aux autres.

– Écoutez ça : « *Grâce à la bonne gestion de son maire, la ville de Montreuil-sur-Mer a réduit des trois quarts ses frais de perception de l'impôt. Monsieur Madeleine est un exemple pour tous les maires de France.* »

– Vous entendez Javert ? Un ministre du roi a daigné parler de nous, dit Madeleine.

Javert sourit, les lèvres coincées d'amertume. « Si le ministre savait… pensa-t-il », mais il n'alla pas plus loin. Sa raison était mal à l'aise. Bien qu'il eût désormais la conviction que l'homme intègre qui se trouvait en face de lui était un imposteur, la situation était tellement suréelle qu'elle brouillait* toutes ses pistes. Comment ce bagnard avait-il pu passer pour un honnête homme ? Au point de devenir le maire de la ville dont il était lui, Javert, chef de la police ?

– Voilà, j'ai terminé, dit Madeleine en relevant la tête. Excusez-moi de vous avoir fait attendre, mais c'est ce pauvre Fauchelevent. Il s'est bien remis de son accident ; malheureusement son genou est paralysé. Plus question pour lui de reprendre son métier de charretier. Par cette lettre, je le recommande à la mère supérieure du Petit-Picpus, un couvent de religieuses à Paris. Elle m'avait prié de lui trouver un jardinier. Voilà qui est fait.

– J'étais précisément venu vous féliciter pour votre courage, Monsieur le maire. Et votre force, dit Javert en regardant Madeleine droit dans les yeux. Je n'ai jamais rien vu de semblable… Ou plutôt si, une fois, à Toulon.

– À Toulon ? répéta le maire en soutenant le regard de l'autre.

– Oui, un forçat, sauf votre respect*, Monsieur le maire.

– Au contraire, vous m'intéressez, Inspecteur. Continuez, je vous

---

brouillait confondait.
sauf votre respect excusez-moi (de dire ce mot devant vous) ; expression de déférence envers un supérieur hiérarchique.

en prie, dit Madeleine en se levant pour allumer les deux chandeliers en argent qui se trouvaient sur la cheminée, derrière son bureau.

– Vous avez de bien beaux flambeaux, Monsieur le maire.

– Qui m'éclairent jour et nuit, Inspecteur.

– Même le jour, Monsieur le maire ?

– Le jour, c'est le souvenir de celui qui me les a offerts qui m'éclaire.

– Dommage que ceux de l'évêque de Digne n'aient pas éclairé le forçat dont je vous parle…

– Vous connaissez Monseigneur Myriel, Javert ?

– Et vous, comment connaissez-vous son nom ?

– Vous n'avez pas répondu à ma question, Inspecteur.

– Je ne le connais pas, mais le forçat dont je vous parle, un certain Jean Valjean, l'a rencontré. Il aurait même reçut de lui deux chandeliers en argent. Comme les vôtres.

– Jean Valjean ?

– Oui. Condamné en 1796 pour avoir volé un pain. Libéré en 1815 du bagne de Toulon.

– 19 ans de bagne pour un pain ?

– Et quatre tentatives d'évasion, précisa Javert.

– Que lui reproche-t-on aujourd'hui ?

– Une pièce de deux francs volée à un petit ramoneur.

– Quarante sous ? On n'échappe pas à la misère, dit Madeleine.

– Je ne vois pas les choses comme vous, Monsieur le maire.

– Et comment les voyez-vous, Javert ?

– Je dirais plutôt qu'on n'échappe pas à la justice, Monsieur.

Compréhension

1 **Complète le texte avec les mots :**

> auberge • bagne • chambre • champs • mairie •
> maison • niche • presbytère • prison • ville

Lorsque l'inconnu entra dans le ...., monseigneur Myriel était à table avec sa sœur et sa servante. Ils allaient dîner.

– Je m'appelle Jean Valjean. Je suis un galérien. J'ai passé dix-neuf ans au .... Je suis libéré depuis quatre jours. Quatre jours et que je marche depuis Toulon. Ce soir, en arrivant dans ce pays, j'ai été dans une ...., on m'a renvoyé à cause de mon passeport jaune que j'avais montré à la .... J'ai été à une autre .... On m'a dit : Va-t-en ! Personne n'a voulu de moi. J'ai été à la ...., le guichetier n'a pas ouvert. J'ai été dans la .... d'un chien. Ce chien m'a mordu et m'a chassé, comme s'il avait été un homme. On aurait dit qu'il savait qui j'étais. Je m'en suis allé dans les .... pour coucher à la belle étoile. Il n'y avait pas d'étoile. J'ai pensé qu'il pleuvrait et je suis rentré dans la .... Une bonne femme m'a montré votre .... Qu'est-ce que c'est ici ? Êtes-vous une .... ? J'ai de l'argent. Cent neuf francs quinze sous que j'ai gagnés au .... par mon travail en dix-neuf ans. Je payerai. Qu'est-ce que cela me fait ? J'ai de l'argent. Je suis très fatigué, j'ai très faim. Voulez-vous que je reste ?

– Madame Magloire, dit l'évêque, vous mettrez un couvert de plus. Et vous préparerez un lit dans la .... du haut pour notre ami. »

Vocabulaire et production écrite

2 Associe correctement les groupes de lettres contenues dans la grille afin de reconstituer vingt mots tirés du chapitre ; utilise ensuite ces mêmes mots pour résumer l'essentiel du premier chapitre.

ma	jus	ate	ma	lard	éva	liers	ramo
char	bienfait	pau	tions	che	sère	vres	tice
neur	embau	ba	sion	mi	imita	eur	mandes
pas	brace	incen	teur	ire	lets	vieil	seport
com	inspec	val	tin	rette	che	die	gnard

Grammaire du texte

3 **Les chandeliers de l'évêque de Digne. Complète le texte en ajoutant aux verbes soulignés la terminaison du passé simple correspondante.**

Jean Valjean march........ rapidement droit au placard près du lit où l'évêque dormait. Il l'ouvr......... . La première chose qui lui appar........ fut le panier d'argenterie ; il le pr........, travers........ la chambre à grands pas sans précaution, et sans s'occuper du bruit m........ l'argenterie dans son sac et s'enfu........ . À l'heure du déjeuner, la porte s'ouvr........ . Un groupe étrange et violent appar........ sur le seuil. Trois hommes en tenaient un quatrième au collet. Les trois hommes étaient des gendarmes ; l'autre était Jean Valjean.

– Monseigneur, dit le brigadier, cet homme s'est enfui lorsqu'il nous a vus. Nous l'avons arrêté. Il avait cette argenterie ...

– Ah ! vous voilà ! s'écri........ monseigneur Bienvenu en regardant Jean Valjean. Eh bien mais ! je vous avais donné les chandeliers aussi, qui sont en argent comme le reste et dont vous pourrez bien avoir deux cents francs. Pourquoi ne les avez-vous pas emportés avec vos couverts ?

– Monseigneur, dit le brigadier de gendarmerie, ce que cet homme disait était donc vrai ?

– Il vous a dit, interromp........ l'évêque en souriant, qu'elle lui ●●●

avait été donnée par un vieux bonhomme de prêtre chez lequel il avait passé la nuit ? Je vois la chose. Et vous l'avez ramené ici ? C'est une méprise.

Les gendarmes lâch........ Jean Valjean, salu........ l'évêque et sort........ de la pièce.

– Mon ami, repr........ l'évêque, avant de vous en aller, voici vos chandeliers. Prenez-les.

Il alla à la cheminée, pr........ les deux flambeaux d'argent et les apport........ à Jean Valjean.

4 **Sépare correctement les mots du texte en allant à la ligne le cas échéant et en rétablissant la ponctuation et les majuscules.**

Disculpé | *par* | *l'évêque,* | jeanvaljeanquittalavillecommes'ils' enfuyaitquelquesheuresplustardassissurunepierrelelongd'unse ntierilvitvenirunpetitramoneurquirentraitchezluiavecsonsalaire unepièceenargentqu'ilfaisaitsauterdanssamaintoutàcouplapièc eluiéchappaetallaroulerjusquedevantjeanvaljeanquiinstinctive mentmitlepieddessusmonsieurditlepetitsavoyardmapiècecom mentt'appellestuditjeanvaljeanpetitgervaismonsieurvat'endit jeanvaljeanmapiècemonsieurjeanvaljeanbaissalatêteetnerépo nditpasmapiècecrial'enfantmapièceblanchemonargentl'enfant pleuraitlatêtedejeanvaljeanserelevaveuxtubientesauverl'enfan teffaréleregardapuiscommençaàtremblerdelatêteauxpiedsetap rèsquelquessecondesdestupeursemitàs'enfuirencourantdetoute ssesforcessansosertournerlatêtenijeteruncrilorsquejeanvaljeana perçutlapiècedequarantesousquibrillaitparmilescaillouxils'élanç aconvulsivementverslapièced'argentlasaisitetseredressantrega rdaauloindanslaplaineilnevitrienalorssoncœurcrevaetilsemitàpl eurerc'étaitlapremièrefoisqu'ilpleuraitdepuisdix-neufans

ACTIVITÉ DE PRÉ-LECTURE

Compréhension

5 **Le secret de Fantine. Qui est la jeune inconnue qui vient chercher du travail à Montreuil ? Place correctement les répliques suivantes dans le texte :**

Amusez-vous toutes les trois • C'est mon mari • Et quinze francs à part pour les premiers frais • Il faudrait voir • J'ai quatre-vingts francs. Je peux payer • Je donnerais six francs par mois. • Je les donnerai • Je m'appelle madame Thénardier • Pas à moins de sept francs. • Regardez comme elles s'entendent bien ces petites • Voulez-vous me garder mon enfant • Vous avez là deux jolis enfants, Madame

Par une belle matinée de printemps, Fantine quitta Paris avec son enfant. Vers midi, comme elle entrait dans Montfermeil, elle vit deux petites filles qui jouaient près de leur mère dans la cour d'une auberge.

1 – .... , dit-elle en regardant les petites.

2 – .... , dit la mère. Mon mari et moi tenons cette auberge.

La voyageuse raconta qu'elle était ouvrière ; que son mari était mort ; que le travail lui manquait à Paris, et qu'elle allait en chercher ailleurs. La mère Thénardier appela ses filles et dit :

3 – ....

Au bout d'une minute les petites Thénardier jouaient avec la nouvelle.

4 – .... s'écria la mère Thénardier, on jurerait trois sœurs !

Ce mot fut l'étincelle qu'attendait probablement l'autre mère.

Elle saisit la main de la Thénardier, la regarda fixement, et lui dit :

5 – .... ?

La Thénardier eut un de ces mouvements surpris qui ne sont ni le consentement ni le refus.

– Avec un enfant, on ne trouve pas de travail. C'est le bon Dieu qui m'a fait passer devant votre auberge. Je ne serai pas longtemps à revenir. Voulez-vous me garder mon enfant ?

6 – .... , dit la Thénardier.

7 – ....

8 – .... Et six mois payés d'avance, cria une voix dans l'auberge.

9 – .... , dit la Thénardier.

10 – .... , dit la mère.

11 – .... , ajouta la voix.

12 – .... , dit la mère. Dès que j'aurai assez d'argent, je reviendrai chercher ma petite fille.

Chapitre 2

Fantine

Le jour même où le charretier Fauchelevent faillit* perdre la vie,
la jeune parisienne qui cherchait du travail fut embauchée à la
manufacture de Montreuil. La surveillante l'avait accueillie et lui
avait rapidement expliqué en quoi consisterait sa tâche. Puis elle la
conduisit devant un écriteau placé à l'entrée de l'atelier.

– Savez-vous lire ?

– Oui, Madame, mais je ne sais pas écrire. Sauf mon nom.

– Eh bien, lisez ! dit la surveillante.

Fantine se rapprocha et commença à lire.

– À voix haute, s'il vous plaît ! ordonna la surveillante.

Fantine, d'une voix tremblante d'émotion, lut le règlement de l'atelier:

« *Quiconque a faim peut se présenter dans mes ateliers, il y trouvera
de l'emploi et du pain. Aux hommes, je demande de la bonne volonté, aux
femmes des mœurs pures, à tous de la probité. Je n'exige qu'une chose de
vous : Soyez honnête !* »

– Avez-vous bien compris ?

– Oui, Madame.

– Alors, suivez-moi, je vais vous indiquer votre place à l'atelier.

Les premiers mois furent difficiles pour Fantine. Le métier était
nouveau pour elle, elle n'était pas très adroite* et ne tirait de sa journée
de travail que peu de chose, mais enfin cela suffisait, elle gagnait sa vie,

faillit manqua de, risqua de.
adroite habile.

c'était le principal. Avec sa première paye, elle loua une petite chambre et la meubla à crédit sur son travail futur ; elle s'acheta aussi un miroir et se réjouit d'y regarder sa jeunesse, ses beaux cheveux et ses belles dents : l'avenir lui semblait possible, elle était presque heureuse. Si seulement sa petite Cosette pouvait être là, avec elle ! Car Fantine avait un douloureux secret.

Le jour de son arrivée à Montreuil, elle avait menti par nécessité. Elle n'était pas veuve comme elle le prétendait, et elle avait une petite fille de six ans en pension chez un couple d'aubergistes de Montfermeil. Qui étaient ces gens ? Elle l'ignorait. Tout ce qu'elle savait d'eux, c'est que l'auberge avait pour enseigne : « *Au sergent de Waterloo* », que les tenanciers s'appelaient Thénardier et qu'ils avaient deux petites filles presque du même âge que sa Cosette. Cela avait suffi à lui inspirer confiance. Ces braves gens avaient quand même* exigé 7 francs par mois pour garder l'enfant – ce qui était beaucoup d'argent –, plus 42 francs de pension anticipée. Fantine paya. « Je reviendrai vite te chercher ma petite Cosette, avait-elle promis à sa fille, le cœur serré ; « dès que j'aurai trouvé du travail, je reviendrai. »

À la lecture du règlement de l'atelier, Fantine comprit, hélas, qu'on ne voudrait plus d'elle si l'on apprenait qu'elle était fille mère*. Alors, elle se tut. Pourtant, lorsqu'elle avait dit à cette femme le jour de son arrivée à Montreuil qu'elle était honnête, elle avait dit la vérité. Mais qui aurait cru à son histoire ? À Paris, vers la fin de l'Empire, elle avait rencontré un étudiant, un certain Félix Tholomyès, qu'elle avait aimé comme on aime à vingt ans. Pour toujours. Il l'a quitta sans un mot d'adieu à la fin de ses études, et rentra chez lui, à Toulouse. Fantine perdit d'un coup toutes ses illusions. Elle s'était donnée à ce Tholomyès comme à un mari, et la pauvre fille avait une enfant de lui. Sa naïveté risquait d'être

---

quand même néanmoins, tout de même.
fille mère anciennement, jeune femme séduite et abandonnée par l'homme qu'elle fréquente alors qu'elle attend ou qu'elle a un enfant de celui-ci.

mal interprétée, l'instinct maternel lui conseillait donc d'être prudente. Six mois passèrent ainsi. La vie de Fantine se partageait entre son travail et sa petite chambre. Elle sortait rarement, si bien qu'à Montreuil pas plus de trois personnes la connaissaient : le propriétaire, à qui elle payait régulièrement son loyer, le marchand fripier chez qui elle avait acheté les meubles qu'elle remboursait tous les mois, et l'écrivain public. Comme elle ne savait que signer, Fantine était bien obligée de passer par lui pour écrire aux aubergistes qui gardaient sa fille, leur envoyer de l'argent chaque mois, demander des nouvelles de Cosette, la rassurer, lui promettre qu'elle viendrait bientôt la reprendre.

Cela fut remarqué. On commença à dire tout bas dans l'atelier que la Fantine « écrivait des lettres » et qu'« elle se donnait des airs ». Pendant la pause, les conversations s'arrêtaient net à son passage, puis reprenaient dès qu'elle tournait le dos. Avec cela, plus d'une ouvrière était jalouse de ses cheveux blonds et de ses dents blanches. On constata aussi qu'elle se détournait souvent pour essuyer une larme. Pourquoi pleurait-elle ? Et ces lettres qu'elle portait au bureau de poste, à qui étaient-elles destinées ? On parvint à se procurer l'adresse : Monsieur Thénardier, aubergiste, à Montfermeil. Puis on fit jaser* au cabaret l'écrivain public en lui payant à boire, tant et si bien qu'on finit par savoir le reste. Il se trouva une commère qui fit le voyage de Montfermeil, parla aux Thénardier, et dit à son retour : « J'en ai eu le cœur net*. J'ai vu l'enfant ! »

Tout cela prit du temps. Fantine était depuis plus d'un an à la fabrique, lorsque la surveillante lui remit, de la part de monsieur le maire, cinquante francs, en lui disant qu'elle ne faisait plus partie de l'atelier. C'était précisément dans ce même mois que les Thénardier, après avoir demandé douze francs au lieu de sept, venaient d'exiger

jaser révéler un secret.
j'en ai eu le cœur net j'ai su toute la vérité.

quinze francs au lieu de douze. Fantine fut atterrée★. Elle ne pouvait s'en aller du pays, elle devait son loyer et ses meubles. Cinquante francs ne suffisaient pas pour acquitter cette dette. Elle balbutia quelques mots suppliants, qu'elle devait de l'argent, que sans travail elle ne pourrait plus nourrir son enfant...

– Une enfant que vous avez abandonnée à des inconnus ! Belle moralité ! Quittez sur-le-champ★ cet atelier ! lui répondit la surveillante en lui montrant la porte.

Monsieur Madeleine n'avait rien su de tout cela. Il avait mis à la tête de cet atelier une vieille fille que le curé lui avait donnée, et il se remettait de tout sur elle. C'est dans cette pleine puissance et avec la conviction qu'elle faisait bien, que la surveillante avait instruit le procès, jugé, condamné et exécuté Fantine.

Fantine s'offrit comme servante dans le pays ; elle alla d'une maison à l'autre. Personne ne voulut d'elle. Elle n'avait pu quitter la ville. Le marchand fripier auquel elle devait ses meubles lui avait dit : « Si vous vous en allez, je vous fais arrêter comme voleuse. » Le propriétaire auquel elle devait son loyer, lui avait dit : « Vous êtes jeune et jolie, vous pouvez payer comme il vous plaira. » Elle partagea les cinquante francs entre le propriétaire et le fripier, rendit au marchand les trois quarts de son mobilier, ne garda que le nécessaire, et se trouva sans travail, sans état, n'ayant plus que son lit, et devant encore environ cent francs. Elle se mit à coudre de grosses chemises pour les soldats de la garnison, pour douze sous par jour. Sa fille lui en coûtait dix.

Dans les premiers temps, Fantine avait été si honteuse qu'elle s'était enfermée dans sa chambre. Les rares fois où elle était dans la rue,

atterrée abasourdie.
sur-le-champ immédiatement.

elle devinait qu'on se retournait derrière elle et qu'on la montrait du doigt ; tout le monde la regardait et personne ne la saluait ; le mépris âcre et froid des passants lui pénétrait dans la chair et dans l'âme comme une bise. Peu à peu elle en prit son parti. Après deux mois, elle secoua la honte et se remit à sortir comme si de rien n'était. Elle alla et vint, la tête haute, avec un sourire amer, et sentit qu'elle devenait effrontée*. La surveillante quelquefois la voyait passer de sa fenêtre, remarquait la détresse de « cette créature », et se félicitait d'avoir fait son devoir.

Ceci dit, Fantine gagnait trop peu. Ses dettes avaient grossi. Ses créanciers la harcelaient. Les Thénardier, mal payés, lui écrivaient à chaque instant des lettres dont le contenu la désolait. Au début de l'hiver, ils lui racontèrent que sa petite Cosette était toute nue par le froid qu'il faisait, qu'elle avait besoin d'une jupe de laine. Elle reçut la lettre, et la froissa dans ses mains tout le jour. Le soir elle entra chez un barbier qui habitait le coin de la rue, et défit son peigne. Ses admirables cheveux blonds lui tombèrent jusqu'aux reins.

– Les beaux cheveux ! s'écria le barbier.

– Combien m'en donneriez-vous ? dit-elle.

– Dix francs.

– Coupez-les.

Elle acheta une jupe de tricot et l'envoya aux Thénardier. Pour cacher sa tête tondue*, elle mit de petits bonnets ronds. « Mon enfant n'a plus froid, je l'ai habillée de mes cheveux » se répétait-elle fièrement.

Cependant, cette jupe rendit les aubergistes furieux. C'était de l'argent qu'ils voulaient. Ils donnèrent la jupe à la plus jeune de leurs filles, et écrivirent une nouvelle lettre qui était un nouveau mensonge :

effrontée qui se conduit de façon inconvenante.
tondue rasée.

« *Cosette est malade d'une fièvre miliaire, une maladie qui est dans le pays et qui s'attaque aux enfants. Il faut des drogues* chères. Cela nous ruine et nous ne pouvons plus payer. Si vous ne nous envoyez pas quarante francs avant huit jours, la petite est morte.* »

En lisant cette seconde lettre, Fantine se mit à rire aux éclats : «Quarante francs ! Que ça ! Ça fait deux napoléons ! Où veulent-ils que je les prenne ? »

Comme elle passait sur la place, elle vit beaucoup de monde qui entourait un homme vêtu de rouge. C'était un dentiste en tournée. Fantine se mêla au groupe. L'arracheur de dents vit cette belle fille qui riait de ses boniments*, et s'écria tout à coup :

– Vous avez de jolies dents, la fille qui riez là. Si vous voulez me vendre vos deux palettes, je vous donne de chaque un napoléon d'or.

– Qu'est-ce que c'est que ça, mes palettes ? demanda Fantine.

– Les palettes, reprit le dentiste, c'est les dents de devant, les deux d'en haut.

– Quelle horreur ! s'écria Fantine en s'enfuyant et en se bouchant les oreilles pour ne pas entendre la voix enrouée de l'homme qui lui criait : « Réfléchissez, la belle ! deux napoléons, ça peut servir. Si le cœur vous en dit, venez ce soir à l'auberge du Tillac, vous m'y trouverez. »

Fantine rentra, elle était furieuse : «M'arracher mes deux dents de devant ! mais je serais horrible ! Les cheveux repoussent, pas les dents ! » Elle reprit son travail de couture tout en maudissant cet homme et son sale métier. Mais la lettre des Thénardier l'obsédait. Elle s'arrêta plusieurs fois pour la lire, la relire, et la relire encore. N'y tenant plus, elle alla se renseigner auprès de l'apothicaire de Montreuil, lui montra la lettre, écouta ses explications. En rentrant chez elle, sa décision était prise.

drogues ici, médicaments.
boniments arguments plus ou moins mensongers visant à persuader quelqu'un.

Le lendemain matin, l'employé du bureau de poste fut surpris de recevoir quarante francs de la seule pauvresse de Montreuil qui écrivait des lettres et en recevait.

– Mais c'est une fortune ! Où avez-vous eu ces louis d'or ?

– Je les ai eus, répondit Fantine.

En même temps, elle sourit. C'était un sourire sanglant. Une salive rougeâtre lui souillait le coin des lèvres, et elle avait un trou noir dans la bouche. Les deux dents étaient arrachées.

À force de solitude et de misère, Fantine commença à tout prendre en haine autour d'elle. À force de se répéter que c'était ce « bon » monsieur Madeleine qui l'avait chassée, elle en vint à le haïr lui aussi, lui surtout. À la belle saison, quand elle passait devant la fabrique aux heures où les ouvriers sont sur la porte, elle affectait de rire et de chanter. Une vieille ouvrière qui la vit une fois chanter et rire de cette façon dit : « Voilà une fille qui finira mal ».

Vers les premiers jours de janvier 1823, un soir qu'il avait neigé, un bourgeois, enveloppé dans un grand manteau à la mode, se divertissait à harceler une créature qui rôdait en robe de bal et toute décolletée avec des fleurs sur la tête devant la vitre du café des officiers. Chaque fois que cette femme passait devant lui, il l'invectivait*, en lui envoyant la fumée de son cigare dans les yeux. La femme qui allait et venait sur la neige, ne lui répondait pas, ne le regardait même pas. Vexé* d'être ainsi ignoré, l'homme profita d'un moment où elle se retournait, pour prendre sur le pavé une poignée de neige et la lui plonger brusquement dans le dos entre ses deux épaules nues. La fille poussa un rugissement, se tourna, bondit comme une panthère, et

invectivait insultait.
vexé blessé dans son amour-propre.

se rua sur l'homme, lui enfonçant ses ongles dans le visage. Au bruit que cela fit, les officiers sortirent du café, les passants s'amassèrent, tandis que le bourgeois profitait de la cohue pour s'éclipser. Au même moment, un homme de haute taille sortit vivement de la foule, saisit la femme à son corsage et lui dit : « Suis-moi ! » La femme leva la tête. Elle reconnut Javert et se mit à trembler d'un tremblement de terreur. C'était Fantine. N'ayant plus rien à vendre, poursuivie par ses créanciers, menacée par les Thénardier, elle avait fini par vendre son corps : l'infortunée s'était faite fille publique.

– Menez cette fille au bloc*, ordonna Javert aux soldats qui l'accompagnaient. Puis se tournant vers Fantine :

– Tu en as pour six mois.

La malheureuse tressaillit.

– Six mois ! six mois de prison ! Mais que deviendra Cosette ? ma fille ! ma fille ! J'ai une petite fille chez des gens qui me réclament sans cesse de l'argent ! je leur dois cent francs !

– Allons ! dit Javert, marche !

Les soldats saisirent la malheureuse.

– Un instant, s'il vous plaît ! dit un homme sorti de la foule.

Javert se retourna et reconnut monsieur Madeleine. Il ôta son chapeau, et salua, surpris :

– Monsieur le maire...

Ce mot, monsieur le *maire*, fit sur Fantine un effet étrange. Elle repoussa les soldats des deux bras, marcha droit vers l'homme, et le regardant fixement, l'air égaré, elle cria :

– Ah ! c'est donc toi qui es monsieur le maire ! C'est à cause de toi que j'ai perdu mon travail, gredin*, c'est toi qui m'as chassée de ta fabrique !

bloc poste de police.
gredin personne sans aucune valeur morale ; scélérat, crapule.

Puis elle éclata de rire et lui cracha au visage. Monsieur Madeleine s'essuya le visage, et dit :

– Inspecteur Javert, mettez cette femme en liberté.

– En liberté, moi ?! Qui est-ce qui a dit cela ?

Fantine, tout à coup dégrisée*, ne comprenait plus. Elle regarda Javert, puis Madeleine, les soldats, la foule... Comme personne ne la retenait plus, elle s'en alla lentement, le regard absent.

– Sergent, cria Javert, vous ne voyez pas que cette drôlesse* s'en va ? Qui vous a dit de la laisser partir ?

– Moi, dit Madeleine.

– C'est impossible, Monsieur le maire.

– Comment ? dit Madeleine.

– Cette malheureuse a insulté une personne respectable.

– Non, inspecteur. Je passais par là, j'ai tout vu. C'est le bourgeois qui a tort et qui devrait être arrêté.

– Cette misérable vous a aussi insulté, le maire de Montreuil.

– Ceci me regarde, inspecteur. Mon injure est à moi. J'en fais ce que je veux.

– Non, Monsieur le maire, votre injure est à la justice.

– Inspecteur Javert, répliqua Madeleine, la première justice, c'est la conscience. Contentez-vous d'obéir !

– J'obéis à mon devoir. Mon devoir veut que cette femme fasse six mois de prison.

Alors Madeleine croisa les bras et dit avec une voix sévère que personne dans la ville n'avait encore entendue :

– Le fait dont vous parlez est un fait de police municipale. Aux termes des articles neuf, onze, quinze et soixante-six du code d'instruction criminelle, j'en suis juge. J'ordonne que cette femme soit mise en liberté. Obéissez !

---

dégrisée qui a dissipé les effets de l'alcool et revient à la réalité.
drôlesse *vieilli.* Coquine, femme de mauvaise vie.

Compréhension

1 **Vrai (V) ou faux (F) ? Justifie tes réponses sans citer le texte.**

		V	F
1	Fantine ne trouva pas de travail à Montreuil.	☐	☐

Justification ....

2 Fantine était veuve, mais elle avait une petite fille qu'elle avait confiée à des aubergistes. ☐ ☐

Justification ....

3 Les Thénardier avaient accepté de garder Cosette pour rendre service à Fantine. ☐ ☐

Justification ....

4 À Montreuil, tout le monde connaissait Fantine.

Justification ....

5 Monsieur Madeleine chassa personnellement Fantine de sa manufacture. ☐ ☐

Justification ....

6 Fantine ne trouva plus de travail à Montreuil et quitta la ville. ☐ ☐

Justification ....

7 Pour payer la pension de sa fille, Fantine vendit ses cheveux et deux dents. ☐ ☐

Justification ....

8 Fantine fut condamnée à six mois de prison pour avoir agressé monsieur Madeleine. ☐ ☐

Justification ....

2 **Deux figures louches. Récris le texte au présent absolu.**

Le Thénardier *avait* .... une cinquantaine d'années. C'était .... un homme petit, maigre, blême, anguleux, osseux, chétif, qui *avait* .... l'air malade et qui se *portait* .... à merveille ; sa fourberie *commençait* .... là. Il *souriait* .... habituellement par précaution, et *était* .... poli à peu près avec tout le monde, même avec le mendiant auquel il *refusait* .... un sou.

Il *avait* .... le regard d'une fouine et la mine d'un homme de lettres. Il *racontait* .... qu'il *avait* .... été soldat et, qu'à Waterloo, il *avait* .... , seul contre un escadron de Hussards de la Mort, sauvé un général gravement blessé. De là, *venait* .... , le nom de son auberge, « cabaret du sergent de Waterloo ».

Sa femme, la Thénardier, *avait* .... quelque douze ou quinze ans de moins que lui. C'*était* .... une grosse méchante femme, juste assez intelligente pour lire des romans bêtes qu'elle *savourait* .... en rêvant dans sa cuisine.

Elle *avait* .... appelé ses filles Éponine et Azelma du nom de ses héroïnes préférées.

La Thénardier *faisait* .... tout dans le logis, les lits, les chambres, la lessive, la cuisine, la pluie, le beau temps, le diable. Tout *tremblait* .... au son de sa voix, les vitres, les meubles et les gens. Sans les romans qu'elle *avait* .... lus, et qui, par moments, *faisaient* .... bizarrement reparaître la mijaurée sous l'ogresse, jamais l'idée ne *serait* .... venue à personne de dire d'elle : c'est une femme.

Tout nouveau venu qui *entrait* .... dans la gargote *disait* .... en voyant la Thénardier : Voilà le maître de la maison. Erreur. Elle n'*était* .... même pas la maîtresse. Le maître et la maîtresse, c'*était* .... le mari. Elle *faisait* ...., il *créait* .... Il *dirigeait* .... tout par une sorte d'action magnétique invisible et continuelle. Un mot lui *suffisait* .... , quelquefois un signe ; le mastodonte *obéissait* ....

Cette femme *était* .... une créature formidable qui n'*aimait* .... que ses enfants et ne *craignait* .... que son mari. Elle *était* .... mère parce qu'elle *était* .... mammifère. Du reste, sa maternité *s'arrêtait* .... à ses filles ; elle se *désintéressait* .... totalement de ses trois fils.

Lui, l'homme, *n'avait* .... qu'une pensée : s'enrichir. Il n'y *réussissait* .... point. Un digne théâtre *manquait* .... à ce grand talent. Thénardier à Montfermeil se *ruinait* .... ; il *était* .... endetté d'environ quinze cents francs de dettes criardes, ce qui le *rendait* .... soucieux.

3 **L'alouette. Place correctement à l'intérieur du texte les parties de phrases suivantes :**

a balayer la rue avant le jour
b Cosette mangeait avec eux sous la table
c et la traitèrent en conséquence
d Le format est plus petit, voilà tout
e Le mois suivant il eut encore besoin d'argent
f Mais il ne suffit pas d'être méchant pour prospérer
g On croyait Cosette oubliée par sa mère
h Seulement la pauvre Alouette ne chantait jamais

Thénardier n'avait qu'une pensée : s'enrichir. **1**☐. La gargote allait mal et Thénardier à Montfermeil se ruinait. Grâce aux cinquante-sept francs de la voyageuse, Thénardier avait pu payer une dette urgente. **2**☐; la femme porta à Paris et engagea au Mont-de-Piété le trousseau de Cosette pour une somme de soixante francs. Dès que cette somme fut dépensée, les Thénardier s'accoutumèrent à ne plus voir dans la petite fille qu'un enfant qu'ils avaient chez eux par charité, **3**☐. Comme elle n'avait plus de trousseau, on l'habilla des vieilles jupes et des vieilles chemises des petites Thénardier, c'est-à-dire de haillons. On la nourrit des restes de tout le monde, un peu mieux que le chien et un peu plus mal que le chat. Le chat et le chien étaient du reste ses commensaux habituels ; **4**☐ dans une écuelle de bois pareille à la leur. La Thénardier étant méchante pour Cosette, Éponine et Azelma furent méchantes. Les enfants, à cet âge, ne sont que des exemplaires de la mère. **5**☐.

Une année s'écoula, puis une autre. On disait dans le village : « Ces Thénardier sont de braves gens. Ils ne sont pas riches, et ils élèvent un pauvre enfant qu'on leur a abandonné chez eux ! » **6**☐. Alors, on fit faire à Cosette les commissions, balayer les chambres, la cour, la rue, laver la vaisselle, porter même des fardeaux. Les Thénardier se crurent d'autant plus autorisés à agir ainsi que la mère qui était toujours à Montreuil-sur-Mer commençait à mal payer. C'était une chose navrante de voir, l'hiver, ce pauvre enfant grelottant sous de vieilles loques de toile trouées, **7**☐ avec un énorme balai dans ses petites mains rouges et une larme dans ses grands yeux. Dans le pays on l'appelait l'Alouette. Le peuple, qui aime les figures, s'était plu à nommer de ce nom ce petit être pas plus gros qu'un oiseau, tremblant, effarouché et frissonnant, éveillé le premier chaque matin dans la maison et dans le village, toujours dans la rue ou dans les champs avant l'aube. **8**☐.

Production écrite

4 Fantine est-elle seule responsable de son malheur, ou n'est-elle pas plutôt victime des préjugés de son époque ?

ACTIVITÉ DE PRÉ-LECTURE

Production orale

5 Coup de théâtre. À deux. Lisez la déposition de l'inspecteur Javert au tribunal d'Arras. Imaginez les questions que le président du tribunal pourrait ensuite poser à l'inspecteur quant à la découverte de l'identité de l'accusé et les circonstances de son arrestation.

À gauche du président, sur un banc de bois adossé à une petite porte, il y avait un homme entre deux gendarmes. L'avocat général venait de citer à comparaître l'inspecteur Javert et trois témoins qui avaient formellement reconnu l'accusé.

– L'inspecteur Javert est un homme estimé qui honore par sa rigoureuse et stricte probité des fonctions inférieures, mais importantes, Monsieur le président, nous requérons qu'il vous plaise et qu'il plaise à la cour de l'écouter.

– Soit, dit le président. Inspecteur Javert, vous avez la parole.

– Je le reconnais parfaitement, Monsieur le président. Cet homme n'est pas qui il dit être ; c'est un ancien forçat très méchant et très redouté nommé Jean Valjean. On ne l'a libéré à l'expiration de sa peine qu'avec un extrême regret. Il a subi dix-neuf ans de travaux forcés pour vol qualifié. Il avait cinq ou six fois tenté de s'évader. Outre le vol Petit-Gervais, je le soupçonne encore d'un vol commis chez sa grandeur le défunt évêque de Digne. Je l'ai souvent vu, à l'époque où j'étais adjudant garde-chiourme au bagne de Toulon. J'ajoute que les forçats Brevet, Cochepaille et Chenildieu, interrogés par moi sur son identité, l'ont eux aussi formellement reconnu ; Brevet était attaché à la même chaîne que lui à Toulon.

Chapitre 3

La promesse

▶ 3 Quand Javert et les soldats furent partis, monsieur Madeleine s'approcha de Fantine. Elle s'était arrêtée et avait assisté à la scène, grelottant* de froid.

– Je ne savais rien de ce que vous avez dit. Je crois que c'est vrai, et je sens que c'est vrai. Pourquoi ne vous êtes-vous pas adressée à moi ? Mais voici : je payerai vos dettes, je ferai venir votre enfant, ou vous irez la rejoindre. Vous vivrez ici, à Paris, où vous voudrez. Je me charge de votre enfant et de vous. Vous ne travaillerez plus, si vous voulez. Je vous donnerai tout l'argent qu'il vous faudra.

C'en était plus que la pauvre Fantine n'en pouvait supporter. Avoir Cosette ! sortir de cette vie infâme ! vivre libre, heureuse, honnête, avec Cosette ! voir brusquement s'épanouir au milieu de sa misère toutes ces réalités du paradis ! Elle regarda comme hébétée cet homme qui lui parlait, elle se mit à genoux devant monsieur Madeleine, et, avant qu'il eût pu l'en empêcher, il sentit qu'elle lui prenait la main et que ses lèvres s'y posaient. Puis elle s'évanouit*. monsieur Madeleine fit transporter Fantine au couvent de la ville. Il la confia aux sœurs qui la mirent au lit. Une fièvre ardente était survenue.

Le lendemain et les jours qui suivirent, Madeleine alla voir Fantine à l'infirmerie du couvent. La pauvre femme était couchée, elle avait

grelottant tremblant.
s'évanouit perdit connaissance.

de la fièvre et toussait tant qu'elle s'étouffait. Cette poignée de neige appliquée à nu sur la peau avait brusquement aggravé la maladie qu'elle couvait* depuis qu'elle avait perdu son emploi. S'étant privée de tout pour payer la pension de sa fille, elle avait négligé de se soigner*.

    – Verrai-je bientôt ma Cosette ? lui demandait-elle chaque fois qu'il venait.

    – Bientôt, lui répondait-il. J'ai envoyé deux cents francs aux Thénardier en les priant de vous amener votre fille. Le visage pâle de la mère rayonnait. Comme son état empirait, on appela un médecin.

    – Eh bien ? demanda Madeleine lorsque la consultation fut terminée.

    Le médecin fit un geste d'impuissance, Fantine était perdue.

Madeleine eut un tressaillement. Sa lettre était restée sans réponse : Il avait alors envoyé le secrétaire de mairie avec deux cents francs supplémentaires en enjoignant les Thénardier de lui remettre l'enfant sur-le-champ. L'homme était rentré sans argent. Et sans Cosette. Les aubergistes refusaient de *livrer* la petite à un inconnu ; d'ailleurs, Cosette était souffrante, elle ne pouvait pas quitter l'auberge.

Une autre semaine passa. Fantine dépérissait à vue d'œil. Malgré la fièvre, la toux qui ne la lâchait pas, malgré ses souffrances, elle continuait inlassablement à réclamer sa petite Cosette. Pourquoi les Thénardier s'obstinaient-ils à garder cette petite ? Madeleine décida d'aller lui-même chercher Cosette avant qu'il ne soit trop tard. Assis sur le lit de la mourante, il écrivit :

Monsieur Thénardier,

Vous remettrez Cosette à cette personne. J'ai l'honneur de vous saluer avec considération.

---

qu'elle couvait dont les effets ne s'étaient pas encore manifestés.
elle avait négligé de se soigner elle s'était peu et mal soignée.

 VICTOR HUGO

Fantine signa la lettre d'une main tremblante. Son front ruisselait de sueur.

De retour à la mairie, Madeleine était dans son cabinet, occupé à régler quelques affaires pressantes* avant son départ pour Montfermeil, lorsqu'on vint lui annoncer que l'inspecteur de police Javert demandait à lui parler. Depuis l'incident qui les avait opposés, les deux hommes ne s'étaient pas revus.

– Faites entrer dit-il.

Javert entra et salua respectueusement le maire qui lui tournait le dos. Madeleine ne le regarda pas et continua d'annoter ses dossiers. Il laissa ainsi plusieurs minutes s'écouler. L'inspecteur s'était avancé en silence et s'était arrêté à quelques pas derrière le fauteuil du maire. Il attendait patiemment, son chapeau à la main.

– Eh bien ! Qu'y a-t-il Javert ? dit Madeleine en se tournant à demi.

– Il y a, Monsieur le maire, que j'ai commis un acte coupable.

– Vous ?!

– Moi, dit Javert.

Madeleine se dressa sur son fauteuil. Javert poursuivit, l'air sévère et les yeux baissés :

– Monsieur le maire, je demande à être révoqué.

Madeleine, stupéfait, ouvrit la bouche. Javert l'interrompit.

– J'ai failli*, je dois être puni. Il faut que je sois chassé.

– Ah çà ! Pourquoi ? s'écria Madeleine. Que me racontez-vous là ? Qu'est-ce que cela veut dire ?

– Je vous ai injustement accusé.

– Moi ? De quoi ? Je ne comprends pas.

– Vous allez comprendre, Monsieur le maire.

---

pressantes urgentes.
j'ai failli j'ai manqué à mon devoir.

Javert soupira du fond de sa poitrine et reprit tristement :

– Monsieur le maire, à la suite de cette scène pour cette fille, j'étais furieux, je vous ai dénoncé.

– Dénoncé !

– À la préfecture de police de Paris.

– Comme maire ayant empiété* sur la police ?

– Comme ancien forçat.

Le maire devint livide*.

Javert, qui n'avait pas levé les yeux, continua :

– Je le croyais. Depuis longtemps j'avais des idées. Une certaine ressemblance, la mésaventure du vieux Fauchelevent, est-ce que je sais, moi ? Des bêtises ! Je vous avais d'ailleurs parlé de ce bagnard un jour, pour voir votre réaction. Bref, je vous ai pris pour ce forçat, Jean Valjean.

– Je m'en souviens en effet.

– C'est un forçat dont j'avais la charge il y a vingt ans quand j'étais en service au bagne de Toulon. On le recherche depuis 1815.

– Le vol d'une pièce de deux francs, n'est-ce pas ?

– Oui, à un jeune savoyard du nom de Petit-Gervais. J'ai cru l'avoir retrouvé ici, j'ai cru que c'était vous ! Et je vous ai dénoncé à la préfecture.

– Et que vous a-t-on répondu ?

– Que j'étais fou.

– Pourquoi fou ?

– Car le véritable Jean Valjean a été retrouvé.

Madeleine leva la tête, regarda fixement Javert, et dit avec un accent inexprimable :

---

ayant empiété qui a usurpé les droits (de la police).
livide très pâle.

– Ah !

– Oui, Monsieur le maire. Le dénommé Jean Valjean est à la prison d'Arras; il a été arrêté pour un vol de pommes dans un verger*.

– Et il a avoué ?

– Oui. C'est-à-dire le vol, car pour ce qui est de son identité, il s'obstine à dire qu'il s'appelle Champmathieu.

– Vous n'êtes donc pas sûr qu'il s'agit de Jean Valjean.

– Si. Le sort a voulu qu'il partage sa cellule avec trois autres détenus*, les dénommés Brevet, Cochepaille et Chenildieu, anciens forçats comme lui, et récidivistes ; ceux-ci l'ont formellement reconnu. Vous imaginez l'effet de ma dénonciation à Paris. On me répond que je perds l'esprit et que Jean Valjean est à Arras au pouvoir de la justice. Je n'en crois pas mes yeux. Alors, je m'obstine, j'écris au juge d'instruction d'Arras. Il me fait venir, on m'amène ce Champmathieu...

– Eh bien ? interrompit monsieur Madeleine.

Javert répondit avec son visage incorruptible et triste :

– C'est cet homme-là qui est Jean Valjean. Moi aussi je l'ai reconnu.

monsieur Madeleine reprit d'une voix très basse :

– Vous êtes sûr ? Ce n'est peut-être qu'une ressemblance. Après tout, vous m'avez bien pris pour lui.

– Oh, tout à fait sûr ! Et même, maintenant que j'ai vu le vrai Jean Valjean, je ne comprends pas comment j'ai pu croire autre chose. Je vous demande de me révoquer, Monsieur le maire.

– Assez, Javert ! Nous avons des affaires bien plus urgentes à régler. Je vais être absent un jour ou deux, nous reparlerons de votre révocation à mon retour. D'ailleurs, de quoi seriez-vous coupable ? N'est-ce pas le rôle de tout bon policier que d'avoir des soupçons ? Ce Champmathieu...

verger plantation d'arbres fruitiers.
détenus prisonniers.

– Valjean, l'interrompit Javert.

– Ce Valjean, quand sera-t-il jugé ?

– Demain, Monsieur le maire.

Madeleine se retourna brusquement et fit mine* de chercher un dossier sur son bureau pour ne pas laisser voir son émotion. Puis, comme si de rien n'était* :

– Javert, vous êtes un homme d'honneur, et je vous estime. Vous exagérez votre faute. Ceci d'ailleurs est encore une offense qui me concerne, vous n'avez rien à vous reprocher. Et maintenant, pardonnez-moi, mais j'ai beaucoup à faire.

En disant ces mots Madeleine avait tendu la main à l'inspecteur. Javert recula et dit d'un ton farouche :

– Pardon, Monsieur le maire, mais cela ne doit pas être. Un maire ne donne pas la main à un mouchard*. Puis il salua profondément, et se dirigea vers la porte. Là il se retourna, et, les yeux baissés :

– Monsieur le maire, dit-il, je continuerai le service jusqu'à ce que je sois remplacé.

Resté seul, Madeleine alla se placer devant la cheminée où brûlait une grosse bûche. Il faisait presque nuit, l'ombre des deux chandeliers occupait toute la hauteur du mur. « Le moment est venu de te payer ma dette, l'évêque ! dit-il en les allumant. Lorsque tu m'as donné ces chandeliers que je t'avais volés, tu voulais me racheter. Je n'étais pas à vendre. Je te l'ai dit. Tu as souri. Je comprends à présent que ce n'est pas moi que tu as racheté. Demain je ne serai plus rien, ni maire, ni riche, ni libre, mais qu'importe : je ne puis laisser un innocent aller au bagne à ma place. Ces chandeliers, c'est ma conscience qui te les paye aujourd'hui. Puis il fouilla dans sa poche et y prit une petite clef avec laquelle il ouvrit une porte secrète derrière sa librairie. De

---

fit mine fit semblant.
comme si de rien n'était comme s'il ne s'était rien passé.

mouchard espion, dénonciateur.

cette cachette, connue de lui seul, il ressortit avec une blouse de toile bleue, un pantalon crasseux, un vieux havresac*, un gros bâton ferré aux deux bouts, et les deux francs volés au petit ramoneur. Il prit son passé des deux mains et le jeta au feu. Jean Valjean était mort, monsieur Madeleine aussi. Il ne savait pas qui il était, mais il savait qui il n'était plus. Sa décision prise, il quitta la mairie d'un pas ferme et assuré et retourna voir Fantine. Dans son sac de voyage, les deux chandeliers brillaient comme des phares dans la nuit.

– Je pars. Je vais chercher votre petite Cosette, lui dit-il. Soyez tranquille, je m'occupe de tout.

– Faites vite, mon bon monsieur Madeleine, le temps presse et je voudrais bien voir ma petite fille une dernière fois.

– Que dites-vous là, Fantine ? Vous vivrez et vous serez heureuse avec votre enfant, je vous le promets.

– Non, Monsieur le maire. Je voudrais tant vous croire, mais je sens que cette promesse-là ne dépend pas de vous. Mais vous pouvez me promettre bien plus…

– Quoi donc ?

– Que vous vous occuperez de ma petite Cosette : elle n'a que moi, si je viens à manquer…

Les yeux de Fantine rencontrèrent ceux de Madeleine, le regard éperdu*, rongé d'angoisse, de la mère était terrifiant.

– Je vous le promets, Fantine. Devant Dieu, je vous le promets.

Et le maire de Montreuil détourna son visage et se leva brusquement pour cacher les larmes qu'il n'avait pu retenir.

De l'infirmerie du couvent Madeleine se dirigea au bout de la ville, chez un loueur de cabriolets. Là, il acheta cheval et voiture et partit immédiatement pour Arras. Lorsqu'il se présenta, le lendemain

---

havresac sac qui se porte sur le dos ou en bandoulière.
éperdu désemparé, profondément troublé.

matin, devant la salle des audiences, la porte était fermée. Il voulut entrer mais un huissier* l'en empêcha : la salle était complète.

Madeleine lui demanda du papier et un crayon et écrivit : Monsieur Madeleine, maire de Montreuil-sur-Mer.

– Portez ceci à monsieur le président.

L'huissier prit le papier, y jeta un coup d'œil et obéit.

Quelques instant plus tard, le maire de Montreuil entrait dans la salle, salué par le président de la cour. Mais il ne le vit pas. En face de lui, il y avait un homme entre deux gendarmes. Cet homme, c'était l'homme. Il crut se voir lui-même, vieilli, tant il ressemblait à ce qu'il avait été avec ces cheveux hérissés, avec cette prunelle fauve* et inquiète, avec cette blouse, tel qu'il était le jour où il entrait à Digne, plein de haine. L'avocat de l'accusé avait demandé d'entendre les témoins qui accusaient Champmathieu. Les trois forçats passèrent à côté de Madeleine dans un bruit de chaînes.

– Accusé, je vous le demande pour la dernière fois : êtes-vous le forçat libéré Jean Valjean ?

– L'accusé fit non de la tête puis haussa les épaules comme quelqu'un qui a trop de fois répondu à la même question.

– Je dis que je m'appelle Champmathieu, que je ne suis jamais allé au bagne de ma vie, ni à Toulon ni ailleurs, et que je ne connais pas ces hommes. Ah ! et puis je n'ai jamais volé de pommes : j'ai trouvé une branche de pommier sur la route, il y avait des pommes, je les ai mangées. Voilà. C'est un crime ?

Le président s'adressa alors aux trois témoins debout devant lui, mais il fut interrompu par une voix puissante au fond de la salle :

– Brevet, Chenildieu, Cochepaille ! regardez de ce côté-ci.

Les yeux se tournèrent vers Madeleine qui s'était levé.

huissier dans une administration, personne chargée de garder l'entrée.
prunelle fauve regard féroce.

Le président, l'avocat général, vingt personnes, le reconnurent, et s'écrièrent à la fois :

– Monsieur Madeleine !

– Vous ne me reconnaissez pas ? leur dit-il. Eh bien, je vous reconnais, moi ! Brevet ! Te rappelles-tu ces bretelles* en tricot à damier que tu avais au bagne ?

Brevet eut comme une secousse de surprise et regarda l'inconnu de la tête aux pieds d'un air effrayé. Lui continua :

– Chenildieu, qui te surnommais toi-même Je-nie-Dieu, tu as toute l'épaule droite brûlée profondément, parce que tu t'es couché un jour l'épaule sur un réchaud plein de braise, pour effacer les trois lettres T. F. P.* Réponds, est-ce vrai ?

– C'est vrai, dit Chenildieu en découvrant d'un geste son épaule.

Ce fut ensuite au tour de Cochepaille :

– Cochepaille, tu as sur le bras gauche une date gravée en lettres bleues avec de la poudre brûlée. Cette date, c'est celle du débarquement de l'empereur à Cannes, 1er mars 1815. Relève ta manche !

Cochepaille releva sa manche, tous les regards se penchèrent autour de lui sur son bras nu. Un gendarme approcha une lampe ; la date y était.

– Vous voyez bien que je suis Jean Valjean, conclut-il. Je ne veux pas déranger davantage l'audience. Je m'en vais, puisqu'on ne m'arrête pas. J'ai plusieurs choses à faire. On sait qui je suis, on sait où je vais, on me fera arrêter quand on voudra.

Et le maire de Montreuil quitta la salle des audiences, sans voir à quelques pas de lui la redingote et les bottes noires de Javert, les yeux fixés sur le président, n'attendant qu'un ordre pour l'arrêter. ■

---

bretelles double bande de tissu élastique servant à soutenir le pantalon.
T.F.P. sigle pour « travaux forcés à perpétuité ».

Compréhension et production

1 **Relie les débuts de phrases à leur suite logique.**

1 Il y avait du côté d'Ailly-le-Haut-Clocher,
2 Dernièrement, cet automne, le père Champmathieu
3 Quand on l'a arrêté,
4 On coffre
5 Mais comme la geôle était en mauvais état,
6 Dans cette prison d'Arras,
7 Champmathieu n'est pas plus tôt débarqué que voilà Brevet qui s'écrie :
8 Tu es Jean Valjean ;
9 Nous y étions
10 Le juge ordonne
11 On lui communique qu'à Toulon
12 Ce sont les condamnés à vie
13 On les extrait du bagne
14 On les confronte
15 Pour eux comme pour Brevet,
16 Même âge, il a cinquante-quatre ans, même taille, même air,

A ☐ « Eh mais ! je connais cet homme-là.
B ☐ il n'y a plus que deux forçats qui aient vu Jean Valjean.
C ☐ le drôle.
D ☐ le juge d'instruction ordonne son transfert à la prison d'Arras.
E ☐ c'est Jean Valjean.
F ☐ Cochepaille et Chenildieu.
G ☐ a été arrêté pour un vol de pommes à cidre.
H ☐ il avait encore la branche de pommier à la main.
I ☐ l'ouverture d'une information judiciaire.
J ☐ un pauvre homme qu'on appelait le père Champmathieu.
K ☐ tu étais au bagne de Toulon il y a vingt ans.
L ☐ il y a un ancien forçat nommé Brevet.
M ☐ au prétendu Champmathieu.
N ☐ ensemble ».
O ☐ même homme enfin, c'est lui.
P ☐ et on les fait venir.

Production écrite

2 **Un innocent risque de passer sa vie au bagne à la place du maire de Montreuil. Que va faire le bon monsieur Madeleine ? Lis le texte puis classe les arguments en faveur de l'une ou l'autre des possibilités qui s'offrent au vrai Jean Valjean.**
• **Le maire de Montreuil décide de conserver son identité car ...**
• **Jean Valjean decide de se dénoncer car ...**

« Eh bien quoi ! se dit-il, de quoi est-ce que j'ai peur ? qu'est-ce que j'ai à songer comme cela ? Me voilà sauvé. Tout est fini. Je n'avais plus qu'une porte entrouverte par laquelle mon passé pouvait faire irruption dans ma vie ; cette porte, la voilà murée ! à jamais ! Ce Javert qui me trouble depuis si longtemps, ce redoutable instinct qui semblait m'avoir deviné, qui m'avait deviné, pardieu ! et qui me suivait partout, cet affreux chien de chasse toujours en arrêt sur moi, le voilà dérouté, occupé ailleurs, absolument dépisté ! Il est satisfait désormais, il me laissera tranquille, il tient son Jean Valjean ! Qui sait même, il est probable qu'il voudra quitter la ville ! Et tout cela s'est fait sans moi ! Et je n'y suis pour rien ! Ah çà, mais ! qu'est-ce qu'il y a de malheureux dans ceci ? Des gens qui me verraient, parole d'honneur, croiraient qu'il m'est arrivé une catastrophe ! Après tout, s'il y a du mal pour quelqu'un, ce n'est aucunement de ma faute. C'est la providence qui a tout fait. C'est qu'elle veut cela apparemment ! Ai-je le droit de déranger ce qu'elle arrange ? Qu'est-ce que je demande à présent ? Mon but est atteint, le reste ne me regarde pas. C'est Dieu qui le veut. Je n'ai rien à faire contre la volonté de Dieu. Laissons faire le bon Dieu ! »

Sa résolution prise, Jean Valjean ne sentit aucune joie. Au contraire. Il continua de se questionner. Il se demanda sévèrement ce qu'il avait entendu par ceci : « Mon but est atteint ! » Il se déclara que sa vie avait un but en effet. Mais quel but ? Cacher son nom ? Tromper la police ? Était-ce pour une chose si petite qu'il avait fait tout ce qu'il avait fait ? Est-ce qu'il n'avait pas un autre but, qui était le grand, qui était le vrai ? Sauver, non sa personne, mais son âme. Redevenir honnête et bon. Être un juste ! Est-ce que ce n'était pas là surtout, là uniquement, ce qu'il avait toujours voulu, ce que l'évêque lui avait ordonné ? Fermer la porte à son passé ? Mais il ne la fermait pas, grand Dieu ! Il la rouvrait en faisant une action infâme ! Mais il redevenait un voleur, et le plus odieux des voleurs ! il volait à un ...

autre son existence, sa vie, sa paix, sa place au soleil ! Il devenait un assassin ! Il tuait, il tuait moralement un misérable homme, il lui infligeait cette affreuse mort vivante, cette mort à ciel ouvert, qu'on appelle le bagne ! Au contraire, se livrer, sauver cet homme frappé d'une si lugubre erreur, reprendre son nom, redevenir par devoir le forçat Jean Valjean, c'était là vraiment achever sa résurrection, et fermer à jamais l'enfer d'où il sortait ! Il fallait faire cela ! Il n'avait rien fait s'il ne faisait pas cela ! Toute sa vie était inutile, toute sa pénitence était perdue, et il n'y avait plus qu'à dire : à quoi bon ? Il sentait que l'évêque était là, que l'évêque était d'autant plus présent qu'il était mort, que l'évêque le regardait fixement, que désormais le maire Madeleine avec toutes ses vertus lui serait abominable, et que le galérien Jean Valjean serait admirable et pur devant lui. Que les hommes voyaient son masque, mais que l'évêque voyait sa face. Que les hommes voyaient sa vie, mais que l'évêque voyait sa conscience. Il fallait donc aller à Arras, délivrer le faux Jean Valjean, dénoncer le véritable !

Vocabulaire

3 **Pourquoi Thénardier refuse-t-il de remettre Cosette à l'envoyé du maire de Montreuil ? Complète la grille avec onze mots tirés du chapitre et, avec les lettres restantes, reconstitue le début de la réponse.**

_____ auquel il espère soutirer beaucoup d'argent.

	A	B	C	D	E	F	G	H	I	J	K	L
1	P	R	É			D	E	N	T	P	T	R
2	C	F	O				T	S	A		É	E
3	R	I	L	É	C	R	O	I	T			
4	Q	U	E	V	C	O	S	E	T			
5	I	N	N			N	T	T	E			
6	E	E	A			S	É	S	S	N	M	
7		L	A	D	I	E	T	L	S	S	B	
8	A	F	I	T	L	L	E	I	L	E	L	L
9	É	G	I	I	T	T	I	M	E	D'	U	A
10	D	É	N	O			A	T	I	O	N	
11	N	H	O	N	M	M	E	R	I	C	H	C
12	C	O	N			E	N	C	E	E	E	

50

Production orale

4 Après avoir été innocenté par Jean Valjean, Champmathieu est immédiatement libéré. Rentré chez lui, il raconte aux habitants de son village ce qui lui est arrivé et pourquoi il a été relâché.

ACTIVITÉ DE PRÉ-LECTURE

5 Grammaire du texte. Complète le texte en choisissant parmi les prépositions suivantes celle qui convient :

> à • avec • dans • de • en • entre • par • sur

Quand Jean Valjean fut .... le bois, il ralentit sa marche, et se mit à regarder soigneusement tous les arbres, avançant pas à pas, comme s'il cherchait et suivait une route mystérieuse connue de lui seul. Il arriva .... une clairière où il y avait un monceau .... grosses pierres blanchâtres. Il se dirigea vivement .... ces pierres et les examina .... attention .... travers la brume .... la nuit, comme s'il les passait .... revue. Un gros arbre était .... quelques pas du tas de pierres. Il creusa .... ses mains un trou au pied .... cet arbre, et y déposa les deux chandeliers et la boîte noire qu'il avait retirée .... son coffre. Puis il piétina pendant quelque temps .... le sol .... l'espace compris .... l'arbre et les pierres, comme quelqu'un qui s'assure que la terre n'a pas été fraîchement remuée. C'est alors que le silence de la forêt fut troublé .... un bruit .... pas et un cliquetis régulier.

Chapitre 4

Au sergent de Waterloo !

En fin de journée, lorsque Jean Valjean arriva à Montreuil, il était encore monsieur Madeleine. Il avait voyagé sans manger, sans boire, ne s'arrêtant qu'une fois, le temps de changer de cheval à un relais de poste sur la route. Il se rendit immédiatement à l'infirmerie du couvent. Quand Fantine l'aperçut, elle faillit suffoquer* :

– C'est vous, Monsieur le maire ! s'écria-t-elle.

– Comment va cette pauvre femme ? demanda-t-il à la sœur qui la veillait.

– Elle a encore baissé, Monsieur le maire. Le médecin est venu, il dit qu'il ne peut plus rien pour elle.

Madeleine s'approcha du lit de Fantine.

– Vous m'avez apporté ma petite fille, n'est-ce pas ? Où est-elle ? Je veux la voir.

– Elle dort en ce moment, lui mentit Madeleine; le voyage l'a fatiguée, vous la verrez demain.

À ces mots, Fantine se souleva du lit, son visage, radieux* était soudain devenu blême, elle ne respirait plus, ses yeux agrandis par la terreur semblaient vouloir dire quelque chose.

– Mon Dieu ! s'écria-t-il. Qu'avez-vous, Fantine ?

Elle ne répondit pas, elle toucha le bras de Madeleine d'une main et de l'autre lui fit signe de regarder derrière lui. Il se retourna, et

elle faillit suffoquer elle risqua de s'étouffer.
radieux rayonnant de joie.

vit Javert. À l'instant où le regard de Madeleine rencontra le regard de Javert, celui-ci, sans bouger, sans remuer, sans approcher, devint épouvantable. Il jubilait★ d'être arrivé avant lui ! Il avait le visage d'un démon qui vient de retrouver son damné.

– Soyez tranquille, Fantine, ce n'est pas pour vous qu'il vient, lui dit tout bas Madeleine.

Puis il se retourna et s'adressa à Javert :

– Je sais ce que vous voulez.

Javert répondit :

– Allons, vite !

– Monsieur le maire ! cria Fantine.

Javert éclata de rire, de cet affreux rire qui lui déchaussait★ toutes les dents.

– Il n'y a plus de monsieur le maire ici ! Il n'y a qu'un forçat qui va retourner aux galères.

Jean Valjean essaya de parler :

– Javert...

Javert l'interrompit :

– Appelle-moi « Monsieur l'inspecteur ».

Jean Valjean se tourna vers lui et lui dit rapidement et très bas :

– Accordez-moi trois jours ! Trois jours pour aller chercher l'enfant de cette malheureuse femme ! Vous m'accompagnerez si vous voulez.

– Tu veux rire ! cria Javert. Ah çà ! Je ne te croyais pas si bête ! Tu me demandes trois jours pour t'en aller ! Tu dis que c'est pour aller chercher l'enfant de cette fille ! Ah ! Ah ! Elle est bien bonne !

Fantine se dressa en sursaut, appuyée sur ses bras et sur ses deux mains, elle regarda Jean Valjean, elle regarda Javert, elle regarda la religieuse, elle ouvrit la bouche comme pour parler, un râle sortit

jubilait éprouvait une grande joie.
qui lui déchaussait qui faisait voir.

du fond de sa gorge, ses dents claquèrent, elle étendit les bras avec angoisse, ouvrant convulsivement les mains, et cherchant autour d'elle comme quelqu'un qui se noie, puis elle s'affaissa subitement sur l'oreiller. Sa tête heurta le chevet du lit et vint retomber sur sa poitrine, la bouche béante, les yeux ouverts et éteints. Elle était morte.

Jean Valjean posa sa main sur la main de Javert qui le tenait, et l'ouvrit comme il aurait ouvert la main d'un enfant, puis il lui dit :

– Vous avez tué cette femme.

Il y avait dans un coin de la chambre un vieux lit en fer en assez mauvais état qui servait de lit de camp aux sœurs quand elles veillaient. Jean Valjean s'empara de ce lit, disloqua* en un clin d'œil le montant, saisit à pleine main la barre de support et marcha lentement vers le lit de Fantine. Quand il y fut parvenu, il se retourna, et dit à Javert d'une voix qu'on entendait à peine :

– Je ne vous conseille pas de me déranger en ce moment.

Javert se rendit compte qu'en venant seul il avait fait une erreur. Il se retourna, ouvrit la porte et se précipita dans le couloir pour appeler la garde. Trop tard ! Entre temps, Jean Valjean avait ouvert une fenêtre et s'était enfui par les toits.

– Il n'ira pas bien loin dit Javert aux gardes. Suivez-moi.

À la faveur de la nuit*, Jean Valjean se dirigea vers sa manufacture. Au cas où Javert aurait l'idée de venir le chercher là, le fugitif connaissait trop bien sa fabrique pour s'y laisser prendre. Il se rendit dans son bureau, ouvrit un gros coffre scellé dans le mur, en retira une boîte de fer noir qu'il jeta dans le sac de voyage où se trouvaient déjà ses deux chandeliers. Puis il attendit tranquillement la fin de la nuit. À l'aube, il prit la route de Montfermeil.

Jean Valjean marcha ainsi toute la journée à travers les champs

disloqua démonta.
à la faveur de grâce à la nuit (dont l'obscurité le protégeait).

et les sentiers détournés. Il faisait nuit lorsqu'il aperçut les rares lumières de Montfermeil. Comme il traversait le bois à l'entrée du village, il entendit des petits pas accompagnés d'un cliquetis* régulier. Il s'approcha et vit une enfant de huit ou neuf ans, seule dans la nuit, portant un seau plein d'eau et presque aussi grand qu'elle. Il saisit l'anse et souleva le seau vigoureusement. La petite sursauta. Une grande forme noire, droite et debout, marchait auprès d'elle dans l'obscurité.

— Ce seau est bien lourd pour toi, dit l'homme. Donne. Je vais te le porter.

L'enfant lâcha le seau.

— Tu vas loin ?

— À Montfermeil.

— Tu n'as donc pas de mère ?

— Je ne sais plus, répondit l'enfant. Je ne crois pas.

— Comment t'appelles-tu ? dit l'homme.

— Cosette.

Jean Valjean s'arrêta net. Il la regarda puis se remit à marcher. Au bout d'un instant il demanda :

— Qui est-ce donc qui t'a envoyée à cette heure chercher de l'eau dans le bois ?

— C'est madame Thénardier, ma patronne. Elle tient une auberge.

— Est-ce qu'il n'y a pas de servante chez madame Thénardier ?

— C'est moi la servante.

Une demi-heure plus tard, un homme grand et massif* entrait dans l'auberge. Il tenait un seau rempli d'eau et de l'autre main, une enfant apeurée. En bon commerçant, Thénardier évalua le voyageur d'un coup d'œil, comme s'il avait fait une addition : un manteau jaune, un

cliquetis petit bruit métallique.
massif à la taille imposante.

sac en bandoulière, des souliers pleins de boue... « encore un de ces crève-la-faim sans un sou en poche », conclut-il.

– Où est le pain que je t'avais dit d'acheter ? demanda la Thénardier sans faire attention à l'homme au manteau.

Cosette avait complètement oublié d'acheter le pain. Elle mentit.

– Madame, le boulanger était fermé.

– Je saurai demain si c'est vrai, dit la Thénardier, et si tu mens, tu auras une fière danse*. En attendant, rends-moi ma pièce.

Cosette plongea sa main dans la poche de son tablier, et devint verte. La pièce de quinze sous que la patronne lui avait donnée n'y était plus.

– Ah ça ! dit la Thénardier, m'as-tu entendue ? Est-ce que tu l'as perdue ? Ou bien est-ce que tu veux me la voler ?

En même temps elle allongea le bras vers le martinet* suspendu à la cheminée.

– Pardon, Madame, dit l'homme, mais tout à l'heure j'ai trouvé cette pièce sur la route. C'est peut-être cela. Et il tendit une pièce de vingt sous à la Thénardier.

– Oui, c'est ma pièce, dit-elle, je la reconnais, mentit la femme par intérêt. Et elle mit la pièce dans sa poche.

– Monsieur veut manger ? demanda Thénardier, assis à la table d'un client. C'est quarante sous. Et on paie d'avance.

– Normalement, un repas c'est vingt sous, dit le client tout bas.

– Pour vous ! Pour lui, c'est quarante. Ces gens-là font une mauvaise réputation à mon commerce, répondit le Thénardier les lèvres serrées.

L'homme s'assit et mit une pièce de cinq francs sur la table.

– Fichtre* ! dit le client.

fière danse (pop.) raclée, fessée.
martinet ancien instrument de punition, composé d'un manche et de lanières de cuir avec lequel on frappait les enfants désobéissants.
fichtre exclamation de surprise.

Le Thénardier ne répondit pas mais, mine de rien, il se mit à observer l'inconnu. Et il refit ses comptes : avec son gros manteau et ses souliers à clous, ce misérable n'était peut-être pas aussi pauvre qu'il avait d'abord cru. Cependant une porte s'était ouverte, deux petites filles venaient d'entrer. Lorsqu'elle les vit arriver, le regard de la Thénardier s'illumina d'adoration.

– Éponine, Azelma, où étiez-vous donc passées, mes chéries, venez vous asseoir près de la cheminée.

Elles vinrent s'asseoir au coin du feu. Elles avaient une poupée et jouaient avec elle à la maman. Cosette qui s'était mise sous la table les regardait tristement. Éponine et Azelma ne la voyaient pas. C'était pour elles comme le chien.

Tout à coup la Thénardier, qui continuait d'aller et de venir dans la salle, s'aperçut qu'au lieu de travailler Cosette observait ses filles qui jouaient.

– Ah ! Je t'y prends ! cria-t-elle. C'est comme cela que tu travailles ! Je vais te faire travailler à coups de martinet, moi.

– Laissez-la ! dit l'homme.

– Et puis quoi encore ?! Je ne la nourris pas à rien faire.

– Laissez-la regarder ses sœurs jouer ! dit l'homme.

– Ses sœurs ?! s'exclama la Thénardier.

– Voici cinq francs, je vous achète sa journée. Elle n'est donc pas à vous, cette enfant ? demanda-t-il ensuite.

– Oh mon Dieu non, Monsieur ! dit la Thénardier qui s'était radoucie en voyant la pièce. C'est une petite pauvre que nous avons recueillie comme cela, par charité. Nous avons beau* écrire à son pays, voilà six mois qu'on ne nous répond plus. Il faut croire que sa mère est morte.

nous avons beau malgré (nos lettres), bien que nous ayons écrit)

– Ah ! dit l'homme.

– C'était une pas-grand-chose que cette mère, ajouta la Thénardier. Une femme qui abandonne son enfant …

– Et si l'on vous en débarrassait ?

– De qui ? De la Cosette ?

– Oui.

La face rouge et violente de la gargotière s'illumina d'un épanouissement hideux*.

– Ah, Monsieur ! Prenez-la, gardez-la, emmenez-la, emportez-la, et soyez béni de la bonne sainte Vierge et de tous les saints du paradis !

– C'est dit.

– Vrai ? Vous l'emmenez ?

– Je l'emmène.

– Tout de suite ?

– Tout de suite.

En ce moment, le Thénardier s'avança au milieu de la salle et dit :

– Laisse-nous, ma femme. Monsieur, dit-il en s'asseyant en face de l'étranger, c'est que je l'aime bien, moi, cette enfant.

L'étranger le regarda fixement. Le Thénardier continua :

– Qu'est-ce que c'est que tout cet argent-là ? Reprenez donc vos pièces de cent sous. C'est une enfant que j'adore.

– Qui ça ? demanda l'étranger.

– Notre petite Cosette ! Ne voulez-vous pas l'emmener avec vous ? Eh bien, je parle franchement, je ne peux pas y consentir. Cette petite n'a ni père ni mère, je l'ai élevée*. J'ai du pain pour elle et pour moi. Je l'aime comme mes filles ; ma femme aussi, elle est vive, mais c'est son caractère. Nous ne sommes pas riches, mais nous avons du cœur. Tenez, moi qui vous parle, j'étais à Waterloo. Vous avez vu l'enseigne en entrant, *Au Sergent de Waterloo* ? Le sergent, c'est moi: Sergent

hideux horrible à voir.
élevée nourrie, fait grandir.

Thénardier ! Même que j'en ai sauvé du beau monde là-bas, et en pleine bataille, avec les balles qui sifflaient de toutes parts ! On est comme ça dans ma famille : toujours prêts à rendre service.

– Et à combien l'estimez vous, votre service ? dit l'étranger qui avait compris où* l'autre voulait en venir.

– Quinze cents francs.

L'étranger prit dans sa poche un vieux portefeuille en cuir noir, l'ouvrit et en tira trois billets de banque qu'il posa sur la table. Puis il appuya son large pouce sur ces billets, et dit au gargotier :

– Faites venir Cosette.

– Pardonnez-moi, dit le Thénardier fâché d'avoir conclu trop vite l'affaire, mais je n'ai pas le droit de vous la donner. Je suis un honnête homme, voyez-vous. Cette petite n'est pas à moi, elle est à sa mère. C'est sa mère qui me l'a confiée, je ne puis la remettre qu'à sa mère. Ou à une personne qui m'apporterait un écrit signé de la mère. À moins que…

L'homme, sans répondre, fouilla* dans sa poche et le Thénardier vit reparaître le portefeuille aux billets de banque. Le gargotier eut un frémissement de joie. L'homme ouvrit le portefeuille et en tira un simple petit papier qu'il présenta à l'aubergiste :

– C'est juste, dit-il. Lisez.

Le Thénardier prit le papier, et lut :

Monsieur Thénardier,

Vous remettrez Cosette à cette personne. J'ai l'honneur de vous saluer avec considération.

Fantine

Lorsque l'aubergiste eut terminé, l'étranger dit :

– Viens, Cosette.

---

où l'autre voulait en venir quel était le but (de Thénardier).
fouilla chercha.

– Monsieur, dit l'autre, c'est bon. Puisque vous êtes la personne. Mais il faut me payer aussi les médicaments de la petite, elle a été bien malade. L'homme se dressa et dit :

– Monsieur Thénardier, l'automne dernier la mère comptait* qu'elle vous devait cent vingt francs ; vous avez reçu deux fois deux cents francs le mois dernier, soit deux cent quatre-vingts francs de trop. Je viens de vous donner quinze cents francs, vos frais sont largement payés.

– Mais la petite ne peut pas partir comme cela, dans le froid ! s'exclama la Thénardier, ce n'est pas raisonnable.

– Eh bien, habillez-la !

– Mais avec quoi ? Elle n'a plus rien.

– Avec les vêtements de vos filles, une belle robe, un bon manteau, un chapeau. Je paierai.

La Thénardier faillit s'étrangler de rage. Mais avant qu'elle ait eu le temps de protester, son mari lui fit signe de s'exécuter*. Elle revint quelques instants plus tard avec une robe, des chaussures, des bas, un manteau et un chapeau de laine.

– Voilà cent francs, dit l'homme. Habille-toi, Cosette, on s'en va !

Thénardier saisit le billet sur la table. Il était rouge de colère. Sa femme avait rejoint ses filles, restées assises près de la cheminée. Éponine regardait Cosette enfiler un à un ses beaux habits. Toutes trois pleuraient en silence.

Cosette s'en alla ainsi. Avec qui ? elle l'ignorait. Où ? elle ne savait. Tout ce qu'elle comprenait, c'est qu'elle laissait derrière elle la gargote Thénardier. Personne n'avait songé à lui dire adieu, ni elle à dire adieu à personne.

comptait pensait.
de s'exécuter d'obéir.

Compréhension

1 **La petite servante qui paie pour travailler. Reconstitue le paragraphe en indiquant l'ordre logique des phrases et sa ponctuation originale.**

- ☐ ils se faisaient payer par la mère
- ☐ Elle leur remplaçait une servante
- ☐ Aussi l'enfant qui avait très peur de devoir aller à la source la nuit
- ☐ Cosette était utile aux Thénardier de deux manières
- ☐ En cette qualité c'était elle qui courait chercher de l'eau quand il en fallait
- ☐ et ils se faisaient servir par l'enfant
- ☐ avait-elle grand soin de ne jamais faire manquer l'eau à la maison
- ☐ les Thénardier gardèrent Cosette
- ☐ Si bien que quand la mère cessa tout à fait de payer

Production écrite

2 **L'aube qui suit une bataille se lève toujours sur des cadavres nus. Lis attentivement le texte qui suit puis rédige la double version des faits évoqués.**

a. À Jean Valjean qui lui demande de raconter « ses exploits » à Waterloo, Thénardier explique comment il a sauvé d'une mort certaine un officier enseveli sous une montagne de cadavres.

b. Comment les choses se sont-elles réellement passées ? Rétablis la vérité.

Pendant la nuit qui suivit la bataille de Waterloo un homme rôdait sur le champ de bataille. Il allait devant lui et regardait derrière lui. C'était un des nombreux chacals qui profitaient de l'obscurité pour détrousser les cadavres.

Tout à coup il s'arrêta. À quelques pas devant lui gisait un monceau de morts d'où sortait une main ouverte, éclairée par la lune. Cette main avait au doigt un anneau d'or. L'homme se courba, demeura un moment accroupi, et quand il se releva, l'anneau avait disparu. Il dégagea ensuite le corps de dessous le tas de cadavres: c'était un officier, le visage en sang. Il avait sur sa cuirasse la croix d'argent de la Légion d'honneur. Le rôdeur arracha cette croix et l'enfouit sous sa capote. Après quoi, il tâta le gousset de l'officier, y sentit une montre et la prit. Puis il fouilla le gilet, y trouva une bourse et l'empocha. Comme il en était à cette phase des secours, l'officier ouvrit les yeux. Un honnête homme aurait eu peur. Le détrousseur de cadavres se mit à rire.

– Tiens, dit-il, il est donc vivant, ce mort ? Après tout, j'aime mieux un revenant qu'un gendarme.

– Merci, dit faiblement le moribond.

Le rôdeur ne répondit point. Il leva la tête. On entendait un bruit de pas dans la plaine ; probablement quelque patrouille qui approchait.

L'officier murmura :

– Qui a gagné la bataille ?

– Les Anglais, répondit le rôdeur.

– Vous m'avez sauvé la vie. Qui êtes- vous ?

Le rôdeur répondit vite et bas :

– J'étais comme vous de l'armée française. Il faut que je vous quitte. Si l'on me prenait, on me fusillerait. Je vous ai sauvé la vie. Tirez-vous d'affaire maintenant.

– Quel est votre grade ?

– Sergent.

– Comment vous appelez-vous ?

– Thénardier.

– Je n'oublierai pas ce nom, dit l'officier. Et vous, retenez le mien. Je me nomme Pontmercy.

Vocabulaire

3 Cherche dans la grille le synonyme et le contraire de chaque adjectif du texte, puis lis, en alignant les lettres restantes, ce que Cosette dit à Jean Valjean en arrivant à l'auberge. (Attention, les mots se lisent horizontalement, verticalement et en diagonale, mais toujours dans le sens de la lecture.).

	A	B	C	D	E	F	G	H	I	J	K	L	M	N	O
1	I	N	H	A	B	I	T	É	L	V	I	D	E	A	I
2	T	R	E	M	P	É	S	S	E	C	S	E	Z	D	-
3	M	O	I	C	H	A	U	D	R	G	L	A	C	É	E
4	P	R	E	N	D	E	R	G	R	A	N	D	E	C	M
5	O	P	R	É	J	O	U	I	S	S	A	N	T	H	M
6	N	O	E	S	R	E	D	R	E	S	S	É	E	A	A
7	D	T	M	A	U	L	É	G	E	R	À	P	R	R	L
8	É	E	P	É	S	C	E	C	O	U	R	T	N	N	H
9	C	L	L	T	S	I	L	M	A	D	X	A	M	É	E
10	O	É	I	E	S'	A	P	A	E	P	R	Ç	O	I	U
11	U	T	Q	U'	A	F	F	L	I	G	E	A	N	T	R
12	V	O	H	A	B	I	T	É	N	R	M	S	E	L'	E
13	E	A	H	A	B	I	L	L	É	P	O	R	A	T	U
14	R	É	E	L	L	C	O	U	R	B	É	E	M	N	X
15	T	E	S	O	M	B	R	E	B	A	T	T	R	A	T

Cosette traversa le village. Il n'y avait plus personne dans les rues. Quand elle eut passé l'angle de la dernière maison, Cosette s'arrêta. Ce n'était plus Montfermeil, c'étaient les champs. L'espace **noir** <u>sombre/clair</u> et **désert** _____/_____ était devant elle. Elle prit le chemin de la source et se mit à courir. Elle entra dans le bois en courant, ne regardant plus rien, n'écoutant plus rien. Tout en courant, elle avait envie de pleurer. Elle ne pensait plus, elle ne voyait plus. Elle arriva ainsi à la source, se pencha et plongea le seau dans l'eau. Pendant qu'elle était ainsi **penchée** _____/_____, la poche de son tablier se vida dans la source.

La pièce de quinze sous tomba dans l'eau. Cosette ne la vit ni ne l'entendit tomber. Elle retira le seau presque **plein** _____/_____ et le posa sur l'herbe. La peur lui était revenue, une peur **naturelle** _____/_____ et insurmontable. Elle n'eut plus qu'une pensée, s'enfuir ; s'enfuir à toutes jambes, à travers bois, à travers champs, jusqu'aux maisons, jusqu'aux fenêtres, jusqu'aux chandelles allumées. Son regard tomba sur le seau qui était devant elle. Tel était l'effroi que lui inspirait la Thénardier qu'elle n'osa pas s'enfuir sans le seau d'eau. Elle saisit l'anse à deux mains. Elle fit ainsi une douzaine de pas, mais le seau était **plein** _____/_____, il était **lourd** _____/_____, elle fut forcée de le reposer à terre. Elle respira un instant, puis elle enleva l'anse de nouveau, et se remit à marcher, cette fois un peu plus longtemps. Mais il fallut s'arrêter encore. Après quelques secondes de repos, elle repartit. Elle marchait la tête baissée, comme une vieille ; le poids du seau tendait et raidissait ses bras **maigres** _____/_____ ; l'anse de fer achevait d'engourdir et de geler ses petites mains **mouillées** _____/_____ ; de temps en temps elle était forcée de s'arrêter, et chaque fois qu'elle s'arrêtait l'eau **froide** _____/_____ qui débordait du seau tombait sur ses jambes **nues** _____/_____ .
Cela se passait au fond d'un bois, la nuit, en hiver, loin de tout regard humain ; c'était un enfant de huit ans. Il n'y avait que Dieu en ce moment qui voyait cette chose **triste** _____/_____.
Et sans doute sa mère, hélas ! Elle était harassée de fatigue et n'était pas encore sortie de la forêt. Parvenue près d'un vieux châtaignier qu'elle connaissait, elle fit une dernière halte plus **longue** _____/_____ que les autres pour se bien reposer, puis elle rassembla toutes ses forces, reprit le seau et se remit à marcher courageusement. Cependant le **pauvre** _____/_____ petit être désespéré ne put s'empêcher de s'écrier : « Ô mon Dieu ! mon Dieu ! » En ce moment, elle sentit tout à coup que le seau ne pesait plus rien.

_ _ _ _ _   -   _ _ _   •   _ _ _ _ _ _ _ _   •   _ _ _
•   _ _ _ _   •   _   •   _ _ _ _ _ _ _   •   _ _   _ _ _ _ _ _
•   _ _ _ _ _ _ _ _   •   _ _ _ _   •   _ _   •   _ _
•   _ _ _ _ _   •   _ _ _ _   •   _ _   •   _ _ _ _ _   .

Chapitre 5

Le mendiant
qui fait l'aumône

Le soir même du jour où il avait tiré Cosette des griffes* des Thénardier, Jean Valjean rentrait dans Paris. La journée avait été remplie d'émotions pour Cosette ; on avait mangé derrière des haies du pain et du fromage achetés dans des gargotes isolées, on avait souvent changé de voiture, on avait fait des bouts* de chemin à pied, elle ne se plaignait pas, mais elle était fatiguée. Jean Valjean la prit sur son dos, elle posa sa tête sur son épaule et s'endormit. Quand elle se réveilla, le lendemain, elle était dans un lit. Elle bondit hors du lit, terrifiée. Si la Thénardier apprenait qu'elle avait couché dans la chambre de ses filles ! Et puis, quelle heure était–il ? Où étaient son balai, son tablier, les bruits de l'auberge ? Vite ! Vite ! sinon gare au martinet ! Le regard effrayé de l'enfant rencontra alors celui de Jean Valjean.

– Bonjour, Cosette, lui dit-il en souriant.

– Ah, c'est vous ! dit la petite, lui souriant à son tour, rassurée de le voir, mais plus rassurée encore de savoir qu'elle ne vivait pas un rêve d'où il aurait fallu se réveiller.

Toute la nuit, l'ancien forçat l'avait veillée, assis à côté du lit où elle dormait. N'ayant jamais rien aimé, ni personne, seul au monde depuis vingt-cinq ans, Jean Valjean éprouvait un sentiment imprévu et douloureux qui lui serrait le cœur. Et qu'il ne connaissait pas. Il avait senti naître en lui cette tendresse maternelle que ni lui ni

griffes ongles pointus et acérés des certains animaux
des bouts des parties.

Cosette n'avaient jamais reçue. Plusieurs mois passèrent dans cet émerveillement. Apprendre à lire à Cosette, et la laisser jouer, c'était à peu près là toute la vie de Jean Valjean.

Cet étrange couple habitait une bâtisse grise et sans âme, connue de tous les indigents* de Paris, appelée la masure Gorbeau. Les locataires qui vivaient dans cette sorte de hangar, dont on aurait fait une maison, ne mangeaient pas tous les jours à leur faim, vivaient d'expédients, s'épiaient, cachaient leur misère dans des taudis sans nom qu'ils payaient comme ils pouvaient. Il en arrivait chaque jour de nouveaux qui disparaissaient comme ils étaient venus, sans laisser d'adresse. Et sans payer le loyer qu'ils devaient. Après avoir mis son argent en lieu sûr, Jean Valjean s'était dit qu'il se cacherait mieux parmi les pauvres : étant beaucoup plus nombreux que les riches, on faisait naturellement moins attention à eux. D'ailleurs, il avait la prudence de ne jamais sortir le jour. Tous les soirs, au crépuscule, il se promenait une heure ou deux, quelquefois seul, souvent avec Cosette. Il marchait en la tenant par la main et profitait de ces instants pour lui parler de sa mère. Il lui en parlait avec tant de détails que la petite crut qu'il était son père et commença alors à l'appeler ainsi.

Dans la rue, les gens le prenaient pour un pauvre. Il arrivait quelquefois que des bonnes femmes se retournaient pour lui donner un sou. Au reste, il avait toujours sa redingote jaune et ses gros souliers à clous…

Sa voisine, une vieille locataire sans famille, lui faisait les courses et le ménage. Il la payait. Cela éveilla les soupçons de la femme, elle se mit à l'observer. Un matin qu'elle le guettait, elle vit Jean Valjean entrer dans un appartement inhabité à l'étage. Par la fente de la porte entrouverte, elle le vit sortir de la doublure* de sa redingote un billet.

indigents pauvres, démunis.
doublure partie intérieure d'un vêtement.

La vieille reconnut avec épouvante que c'était un billet de mille francs. C'était le second ou le troisième qu'elle voyait depuis qu'elle était au monde. Et s'enfuit très effrayée.

Quelques jours plus tard, un soir qu'il se promenait seul sur le boulevard, Jean Valjean aperçut un pauvre accroupi* près d'un puits. Il regarda autour de lui, prit quelques sous dans sa poche et les lui mit dans la main. Le mendiant leva brusquement les yeux, regarda fixement Jean Valjean, puis baissa rapidement la tête. Ce mouvement fut comme un éclair, Jean Valjean eut un tressaillement. Il lui sembla qu'il venait d'entrevoir, à la lueur du réverbère, une figure effrayante et connue. Il eut l'impression qu'on aurait en se trouvant tout à coup dans l'ombre face à face avec un tigre. Il rentra profondément troublé. C'est à peine s'il osait s'avouer à lui-même que cette figure qu'il avait cru voir était la figure de Javert.

Le lendemain, il pouvait être huit heures, Jean Valjean était dans sa chambre et faisait lire Cosette à haute voix, lorsqu'il entendit des pas dans l'escalier, puis dans le couloir jusqu'à sa porte ; c'étaient des pas lourds de gros souliers, des pas d'homme. Jean Valjean se jeta tout habillé sur son lit et ne put fermer l'œil de la nuit. Au point du jour*, comme il s'assoupissait de fatigue, il fut réveillé par le grincement d'une porte qui s'ouvrait, puis il entendit le même pas d'homme qui avait monté l'escalier la veille. Le pas s'approchait. Il se jeta au bas du lit et appliqua son œil au trou de sa serrure, espérant voir au passage l'être quelconque qui s'était introduit la nuit dans la masure et qui avait écouté à sa porte. Il vit une ombre, le corridor était encore trop obscur pour qu'on pût distinguer son visage ; mais quand l'homme arriva à l'escalier, un rayon de la lumière du dehors le fit saillir comme

accroupi assis par terre, le corps sur les talons.
au point du jour à l'aube.

une silhouette, et Jean Valjean le vit de dos complètement. L'homme était de haute taille, vêtu d'une redingote longue, avec un gourdin* sous son bras. C'était la carrure formidable de Javert.

Jean Valjean passa la journée assis près de la porte, épiant le moindre bruit. La nuit venue, il descendit et regarda avec attention de tous les côtés. Il ne vit personne. Le boulevard semblait absolument désert. Il remonta.

– Viens, dit-il simplement à Cosette.

Il la prit par la main et sortit sans rien emporter.

Dehors, il s'éloigna rapidement du quartier, prit le grand boulevard qui mène à Paris et s'engouffra dans les rues de la capitale, faisant le plus de lignes brisées qu'il pouvait, revenant quelquefois brusquement sur ses pas pour s'assurer qu'il n'était pas suivi. Cosette marchait en silence, serrée tout contre lui. Ils allaient ainsi depuis plus d'une heure, toujours du côté sombre des rues et lui se retournant souvent, lorsqu'il eut l'impression d'être suivi. Alors il s'arrêta à proximité d'un carrefour et attendit au coin d'une petite rue. Il ne s'était pas écoulé trois minutes que quatre hommes parurent, tous de haute taille, vêtus de longues redingotes brunes, avec des chapeaux ronds, et de gros bâtons à la main. Ils s'arrêtèrent au milieu du carrefour et firent groupe, comme des gens qui se consultent. Ils avaient l'air indécis. L'un d'eux se retourna, la lune éclaira en plein son visage. Jean Valjean reconnut parfaitement Javert. Que faire ? Sortir de sa cachette, c'était courir à sa perte ; Jean Valjean se sentait pris comme dans un filet qui se resserrait lentement. Il serra fort la main de Cosette et l'entraîna derrière lui au bout de la rue où ils s'étaient réfugiés. Ils n'avaient pas fait cent mètres qu'ils se retrouvèrent devant un grand mur de pierres grises. C'était un cul-de-sac* ! Sans réfléchir, Jean Valjean saisit Cosette

gourdin bâton servant de matraque.
cul-de-sac voie sans issue.

et la mit sur son dos puis, s'agrippant aux pierres, il grimpa à mains nues jusqu'au sommet du mur, se coucha à plat ventre sur la crête et, rampant, la petite toujours sur son dos, disparut derrière l'angle de la dernière maison. Il était temps, la patrouille arrivait. On entendit la voix tonnante de Javert :

– Fouillez le cul-de-sac !

Jean Valjean se laissa glisser le long du mur, tout en soutenant Cosette ; soit* terreur, soit courage, la petite n'avait pas soufflé. De l'autre côté, ils se trouvèrent dans une espèce de jardin. Jean Valjean regarda autour de lui et vit qu'il y avait quelqu'un. Il l'aborda en criant :

– Cent francs !

L'homme fit un soubresaut et leva les yeux.

– Cent francs à gagner, reprit-il, si vous me donnez asile pour cette nuit !

La lune éclairait en plein le visage effaré de Jean Valjean.

– Tiens, c'est vous, père Madeleine ! dit l'homme.

Ce nom, ainsi prononcé, à cette heure obscure, dans ce lieu inconnu, par cet homme inconnu, fit reculer Jean Valjean.

Il s'attendait à tout, excepté à cela. Celui qui lui parlait était un vieillard courbé et boiteux*, vêtu à peu près comme un paysan.

– Ah mon Dieu ! Que faites-vous ici, père Madeleine ? Par où êtes-vous entré ? Vous tombez donc du ciel !

– Qui êtes-vous ? Et qu'est-ce que c'est que cette maison ? demanda Jean Valjean.

– Ah, pardieu, voilà qui est fort ! s'écria le vieillard, je suis celui que vous avez fait placer ici. Comment ! Vous ne me reconnaissez pas ?

– Non, dit Jean Valjean. Et comment se fait-il que vous me connaissiez, vous ?

soit … soit qu'elle ait eu peur ou qu'elle ait été courageuse.
boiteux qui ne marche pas droit à cause d'une malformation d'un membre inférieur ou des hanches.

– Vous m'avez sauvé la vie, dit l'homme.

Il se tourna, un rayon de lune lui dessina le profil, et Jean Valjean reconnut le vieux Fauchelevent.

– Ah ! dit Jean Valjean, c'est vous ? Oui, je vous reconnais. Mais où sommes-nous donc ?

– Au couvent du Petit–Picpus, tiens ! C'est vous qui m'avez trouvé cette place de jardinier ! Même que la mère supérieure vous a écrit pour vous remercier : c'est qu'on est content de moi au Petit-Picpus ! Mais, au fait, comment diable avez-vous fait pour y entrer, père Madeleine ?

– Vous y êtes bien, vous.

– Forcément, mais vous ?

– Peu importe, reprit Jean Valjean, maintenant que j'y suis, il faut que j'y reste.

– Oh ! Ce serait une bénédiction du bon Dieu si je pouvais vous rendre service ! Après tout ce que vous avez fait pour moi !

Une joie admirable avait comme transfiguré le vieillard. Un rayon semblait lui sortir du visage.

– Que voulez-vous que je fasse ?

– Je vous expliquerai cela. Vous avez une chambre ?

– J'ai une baraque* isolée, là, derrière le couvent, dans un recoin que personne ne voit. Suivez-moi !

Une fois Cosette couchée, Jean Valjean et Fauchelevent soupèrent ensemble. Jean Valjean savait que Javert n'abandonnerait pas ses recherches ; s'ils rentraient à Paris, Cosette et lui étaient perdus. Puisque le nouveau coup du sort qui venait de s'abattre sur lui l'avait conduit dans ce cloître*, Jean Valjean avait immédiatement décidé d'y rester le plus longtemps possible. De son côté, Fauchelevent se

baraque habitation rudimentaire, généralement en bois.
cloître couvent.

creusait la cervelle*. Comment monsieur Madeleine avait-il fait pour entrer ? Avec les murs qu'il y avait ? Et habillé en pauvre ? Comment s'y trouvait-il avec une enfant ? D'où venaient-ils tous les deux ? Depuis que le jardinier était dans le couvent, il n'avait plus entendu parler de Montreuil-sur-Mer, il ne savait rien donc rien de ce qui s'était passé.

« Après tout, ça ne me regarde pas », se dit-il, « ce que je sais me suffit : il m'a sauvé la vie, le reste c'est son affaire. »

Fauchelevent demanda donc audience à la mère supérieure. Avec l'assurance de celui qui se sent apprécié, il parla longuement de son âge, de ses infirmités, des exigences croissantes du travail, et il finit par aboutir à ceci : qu'il avait un frère qui était veuf, que si on le voulait bien, ce frère pourrait venir loger avec lui et l'aider :

– Il est jardinier comme moi, Révérende Mère, le couvent y gagnerait deux bras de plus, car il est travailleur et beaucoup plus fort que moi. Il a aussi une petite fille qu'il amènerait avec lui ; elle pourrait devenir religieuse plus tard, qui sait ?

La mère supérieure l'écouta en silence puis lui fit signe de sortir. Comme il allait ouvrir la porte, elle lui dit doucement :

– Père Fauchelevent, je suis contente de vous ; demain, amenez-moi votre frère, et dites-lui qu'il m'amène sa fille.

Le lendemain, Jean Valjean et Cosette furent admis au couvent du Petit-Picpus, lui comme assistant jardinier, elle comme pensionnaire. L'estime que la sœur supérieure avait de Fauchelevent, homme honnête, travailleur et discret avait joué en leur faveur, mais la cause déterminante de l'admission avait été l'observation de la prieure sur Cosette : « Elle sera laide », avait-elle pensé en la voyant, ce qui, pour la vocation était une qualité majeure, les filles qui se sentent jolies se laissant malaisément* faire religieuses.

se creusait la cervelle (fam.) réfléchissait.
malaisément difficilement.

Cosette s'habitua assez vite au couvent ; tous les jours, après la messe, elle passait voir son père et son oncle. Lorsqu'elle entrait, la baraque des deux jardiniers s'illuminait de grâce et de bonne humeur. À l'heure fixée, elle accourait. Quand elle entrait dans la masure, elle l'emplissait de paradis. Jean Valjean s'épanouissait, et sentait son bonheur s'accroître du bonheur qu'il donnait à Cosette. Aux heures des récréations, Jean Valjean regardait de loin Cosette jouer et courir, et il distinguait son rire du rire des autres. Car maintenant Cosette riait. Cosette était gaie, Cosette était heureuse et, contrairement à l'avis de la mère supérieure, à mesure qu'elle grandissait, elle devenait plus belle.

Au mois d'octobre 1829, un homme d'un certain âge s'était présenté rue Plumet et avait loué une grande maison telle qu'elle était, avec ses meubles et ses dépendances. Ce locataire discret était Jean Valjean, la jeune fille était Cosette. Pourquoi Jean Valjean avait-il quitté le couvent du Petit-Picpus ? Que s'était-il passé ? Il ne s'était rien passé. Jean Valjean était heureux dans le couvent, trop heureux même, sa conscience avait fini par s'en inquiéter. Avait-il le droit d'obliger Cosette à vivre toute sa vie dans un couvent ? Il se dit que Cosette devait connaître le monde avant d'y renoncer. « Si plus tard, elle veut être religieuse, elle pourra toujours revenir », avait-il conclu.

Une fois sa détermination arrêtée, il attendit l'occasion. Elle ne tarda pas à se présenter. Le vieux Fauchelevent mourut. Jean Valjean demanda audience à la révérende prieure et lui dit qu'ayant fait à la mort de son frère un petit héritage qui lui permettait de vivre désormais sans travailler, il quittait le service du couvent, et emmenait sa fille ; mais que, comme il n'était pas juste que Cosette, ne prononçant point ses vœux*, eût été instruite gratuitement, il offrit à la communauté une somme de cinq mille francs, comme indemnité des cinq années que Cosette y avait passées.

ne prononçant point ses vœux ne devenant pas religieuse.

En quittant le couvent du Petit-Picpus, Jean Valjean avait pris la décision de ne plus se cacher ou, plutôt, de se cacher autrement. Il était entré dans Paris en pauvre, il sortirait du couvent en notable. Il prit le nom de son « faux » frère, choisit le prénom d'Ultime, et vécut confortablement avec Cosette et une servante, muette de naissance, qui ne quittait jamais la propriété.

La distraction préférée de Cosette était de s'occuper du jardin de sa nouvelle maison ; elle aimait aussi accompagner son père, tôt le matin, aux portes de Paris. Un jour, qu'ils se promenaient ainsi au lever du jour, ils croisèrent sur la route un étrange cortège composé de sept voitures découvertes où étaient enchaînés des hommes qu'on conduisait au bagne. Des deux côtés marchaient des gardes affublés d'uniformes gris et bleus avec des fusils et des bâtons. Une foule, sortie on ne sait d'où et formée en un clin d'œil, se pressait des deux côtés de la chaussée et regardait les hommes entassés comme des bêtes sur les charrettes. Ils grelottaient dans leurs pantalons de toile, les pieds nus dans des sabots. Ils étaient effrayants à voir, le crâne rasé, les yeux pleins de haine. Jean Valjean voulut fuir, échapper à cette vision qui le ramenait trente ans en arrière ; il ne put remuer un pied. Excités par la foule qui les conspuait*, les hommes se mirent à chanter à tue-tête* et à blasphémer. Alors les gardes prirent leurs bâtons et leurs sabres et se mirent à les frapper avec rage. Les galériens se courbèrent et se turent soudain avec des regards de loups enchaînés.

Cosette était terrifiée, elle tremblait de tous ses membres.

– Père ! Qui sont ces gens ?

Jean Valjean répondit :

– Des forçats qu'on conduit aux galères.

– Père, est-ce que ce sont encore des hommes ?

– Quelquefois, dit le misérable.

conspuait insultait bruyamment.
à tue-tête très fort.

Compréhension et production

1 Complète le résumé du chapitre avec les groupes de lettres contenues dans la grille.

abr	ala	art	avo	cor	dem	dmi	éfi
ena	fam	fia	fug	goû	hap	isi	iss
ist	leu	lic	lle	loy	mme	nai	nco
nde	non	ofi	oir	ond	our	pre	qui
rdi	rêt	reu	rie	rou	rsu	rue	sau
son	ssu	uer	uri	utr	urs	uve	vai

Après av___ ___tté les Thénardier, Jean Valjean et Cosette se ret___vent à Paris où l'ancien forçat loue un app___ement dans une mai___ lugubre et mal ___ée. Au fil des mois, la vie reprend son c___s et le so___nir des terribles ép___ves s'estompe. Cosette reprend ___t à la vie, elle ap___nd à lire, à jo___, à so___re. Les Thénardier ne sont plus qu'un mau___s souvenir. Mais Javert est sur la p___e de Jean Valjean. Dé___cé par sa vo___ne de palier, celui-ci éc___pe de peu aux po___iers venus l'ar___er et s'enfuit dans les ___s de Paris en emm___ nt Cosette avec lui. Acculé au f___ d'une rue sans i___e, Jean Valjean éc___pe miracu___sement à ses pou___ivants en esc___dant un mur. De l'a___e côté, Cosette et lui font une re___ntre surprenante : Fauchelevent, l'ho___ que Jean Valjean avait ___vé lorsqu'il était maire de Montreuil est le ja___nier du couvent du Petit-Picpus où, sans le s___ir, ils ont trouvé re___e. Plein de recon___ssance pour celui qu'il croit être en___e monsieur Madeleine, le vieil ho___ leur offre un ___i pour la nuit. Plus, il pr___te, le len___ain, de la con___nce dont il bén___cie auprès de la mère supé___ure pour lui dema___r la perm___ion de faire venir son frère et la fi___ de celui-ci. Grâce à son faux-frère, Jean Valjean est emp___é comme aide-jardinier. Quant à Cosette elle est a___se à suivre les co___ du couvent.

2 Comment Javert retrouva-t-il la trace de Jean Valjean ? Rétablis l'ordre logique du paragraphe.

1 ..E.. 2 .... 3 .... 4 .... 5 .... 6 ....

7 .... 8 .... 9 .... 10 .... 11 .... 12 ....

A En ce moment Javert leva la tête, et la secousse que reçut Jean Valjean en croyant reconnaître Javert, Javert la reçut en croyant reconnaître Jean Valjean.

B Ce nom fit dresser l'oreille à Javert. Un vieux mendiant mouchard, auquel ce personnage faisait la charité, ajoutait quelques autres détails.

C Ce personnage était, disait-on, un rentier dont personne ne savait au juste le nom et qui vivait seul avec une petite fille de huit ans, laquelle ne savait rien elle-même sinon qu'elle venait de Montfermeil.

D C'est là que font généralement perdre leurs traces les fugitifs de toute espèce.

E Lorsque Jean Valjean, la nuit où mourut Fantine, s'échappa de l'hôpital de Montreuil, la police supposa que le forçat évadé avait dû se diriger vers Paris.

F Afin de voir ce rentier fantastique de très près sans l'effaroucher, il emprunta un jour les vêtements de son informateur et la place où le vieux mouchard s'accroupissait tous les soirs.

G Il portait une horrible vieille redingote jaune qui valait plusieurs millions, étant toute cousue de billets de banque.

H Ceci piqua décidément la curiosité de Javert.

I « L'individu suspect » vint en effet à Javert ainsi travesti, et lui fit l'aumône.

J Ce rentier était un être très farouche, ne sortant jamais que le soir, ne parlant à personne, qu'aux pauvres quelquefois, et ne se laissant pas approcher.

K Dans le courant de mars 1824, il entendit parler d'un personnage bizarre qu'on surnommait « le mendiant qui fait l'aumône ».

L Et Javert, qui connaissait mieux que personne l'ex-maire de Montreuil fut appelé à Paris pour mener l'enquête.

Grammaire du texte

3 **Supprime les répétitions en remplaçant les mots et groupes de mots en italiques par un pronom personnel ou relatif, et en rétablissant si nécessaire la syntaxe de la phrase.**

Quelque temps après, une note de police fut transmise par la préfecture de Seine-et-Oise à la préfecture de police de Paris sur l'enlèvement d'un enfant – ~~l'enlèvement~~ – ——▶ **qui** avait eu lieu, disait-on, avec des circonstances particulières, dans la commune de Montfermeil. Une petite fille de sept à huit ans avait été confiée par sa mère à un aubergiste du pays – *cette petite fille* – avait été volée par un inconnu ; la petite répondait au nom de Cosette et était l'enfant d'une fille nommée Fantine, morte à l'hôpital, on ne savait quand ni où. Cette note passa sous les yeux de Javert, et rendit – *Javert* – rêveur.

Le nom de Fantine était bien connu – *de Javert* – . Il se souvenait que Jean Valjean avait fait éclater de rire – *Javert* – en demandant – *à Javert* – un répit de trois jours pour aller chercher l'enfant de cette créature. Or, cette enfant venait d'être volée par un inconnu. Quel pouvait être cet inconnu ? Serait-ce Jean Valjean ? Javert, sans rien dire à personne, fit le voyage de Montfermeil. Il s'attendait à trouver là un grand éclaircissement ; il trouva – *à Montfermeil* – une grande obscurité.

Dans les premiers jours, les Thénardier, dépités, avaient jasé. La disparition de l'Alouette avait fait du bruit dans le village. Cependant, la première humeur passée, le Thénardier, avec son admirable instinct, avait très vite compris qu'il n'est jamais utile d'émouvoir monsieur le procureur du roi, et que ses plaintes à propos de l'enlèvement de Cosette auraient pour premier résultat de fixer sur – *les Thénardier* –, et sur beaucoup d'affaires troubles – *ils avaient des affaires troubles* – , l'étincelante prunelle de la justice. Et d'abord, comment se tirerait-il des quinze cents francs – *il avait reçu quinze cents francs* – ? Il coupa court, mit un bâillon à sa femme, et fit l'étonné quand on parlait – *à Thénardier* – de l'enfant volée. Il ne comprenait rien – *à cette disparition* – ; sans doute s'était-il plaint sur le moment qu'on « avait enlevé » cette chère petite – *à Thénardier* – ; il aurait voulu par tendresse garder – *la chère petite* – encore deux ou trois jours ; mais c'était son « grand-père » qui était venu chercher – *la chère petite* – le plus naturellement du monde. Il avait inventé le grand-père – *le grand-père* – plus vraisemblable son récit. Ce fut sur cette histoire – Javert tomba sur *cette histoire* – en arrivant à Montfermeil. L'inspecteur posa bien quelques questions, comme des sondes, dans l'histoire de Thénardier. « Qui était-ce que ce grand-père, et comment s'appelait – *ce grand-père* – ? » Thénardier répondit avec simplicité : « C'est un riche cultivateur. J'ai vu son passeport. Je crois qu'il s'appelle Guillaume Lambert. » Lambert est un nom rassurant. Javert s'en revint à Paris.

Production écrite

4 **Rentré bredouille à son commissariat, Javert rédige son rapport dans lequel il explique comment il a retrouvé la trace de Jean Valjean et la mystérieuse disparition du forçat alors qu'avec ses hommes il s'apprêtait à l'arrêter.**

ACTIVITÉ DE PRÉ-LECTURE

5 **Lis le texte puis associe les dates proposées aux périodes et aux faits mentionnés.**

1 ☐ La Révolution
2 ☐ La République
3 ☐ L'Empire
4 ☐ Austerlitz
5 ☐ Waterloo

a 18 mai 1804
b 2 décembre 1805
c 21 septembre 1792
d 15 juin 1815
e 14 juillet 1789

Monsieur Gillenormand était un grand bourgeois royaliste qui exécrait la **Révolution**, les républicains et Napoléon Bonaparte qu'il appelait « l'usurpateur ». Il avait eu deux femmes ; de la première une fille qui ne s'était pas mariée, et de la seconde une autre fille, morte vers l'âge de trente ans, laquelle avait épousé par amour un soldat de fortune qui avait servi dans les armées de la **République** et de l'**Empire**, avait eu la croix à **Austerlitz** et avait été fait colonel à **Waterloo**. « C'est la honte de ma famille », disait le vieux bourgeois en parlant de son gendre. Il y avait en outre dans la maison, entre cette vieille fille et ce vieillard, un enfant, un petit garçon. Le vieil homme ne parlait jamais à cet enfant que d'une voix sévère, même si, au fond de son cœur, il l'aimait profondément. C'était son petit-fils. Il se prénommait Marius.

Chapitre 6

Le guet-apens

Un après-midi que le père et la fille étaient allés se promener au Jardin du Luxembourg, ils croisèrent un groupe d'étudiants. Cosette voulut s'asseoir pour écouter ce qu'ils disaient. Ne voyant jamais personne, à part son père et sa vieille servante muette, cette réunion de jeunes gens joyeux et tapageurs* fut pour elle une distraction inespérée. Elle entendit des mots nouveaux, déclamés comme des discours : *démocratie, peuple, liberté, oppression...* Ces jeunes gens se disaient *Les Amis de l'A B C* et parlaient tout haut d'une révolte qui ne saurait tarder. Cosette tournait de temps en temps la tête, ils avaient tous l'air très excité. Elle les revit le lendemain au même endroit. Plus un nouveau.

– Mes amis, je vous présente Pontmercy, dit l'un d'eux, il est des nôtres ! Et il est avocat.

On se serra la main, on fit rapidement les présentations : « Enjolras, Laigle, Combeferre, Prouvaire, Feuilly, Courfeyrac... » Dans le brouhaha* qui suivit, Cosette saisit quelques phrases :

– Ça peut servir un bon avocat, par les temps qui courent...

– ... avec la police qui est partout !

– Et les juges asservis au pouvoir !

– Les amis de l'A B C pourraient bien avoir besoin de toi.

– Les amis de l'A B C ? demanda le nouveau.

– L'Abaissé, c'est le peuple, mon cher...

tapageurs bruyants.
brouhaha bruit confus.

– Et nous voulons le relever !

– Rendez-vous ce soir, au café Musain, on t'expliquera.

– Tu viens, Marius ? dit Courfeyrac.

Le jeune avocat suivit son ami. Lorsqu'il passa devant le banc de Cosette, la jeune fille leva la tête. Il la vit. Ils se regardèrent.

– Il est temps de rentrer, Cosette ! dit Jean Valjean en se levant.

Deux noms, les leurs, qu'ils saisirent chacun de leur côté aussi vite que la rencontre de leurs regards avait été brève : elle savait qu'il s'appelait Marius, il savait qu'elle s'appelait Cosette. Que s'était-il passé ? Marius n'aurait pu l'exprimer. Rien et tout. Un étrange éclair. Jamais l'expression *coup de foudre* ne fut plus indiquée pour la rencontre de deux êtres.

Quelques instants plus tard, le jeune homme quittait son ami, encore ébloui par cette apparition, et se dirigeait à l'autre bout de la ville. Il habitait précisément dans la bâtisse où avaient séjourné quelque temps Jean Valjean et Cosette, la masure Gorbeau. Il était donc forcément pauvre. Mais par choix plus que par nécessité. Marius, baron de Pontmercy, était en fait le petit-fils de monsieur Gillenormand, un riche et très vieux bourgeois de l'Ancien Régime qui avait haï la Terreur puis l'Empire, et qui répétait souvent : « la Révolution française est un tas de chenapans* ! Et Napoléon, un imposteur ! » Marius avait été élevé dans l'aisance par ce grand-père excentrique* et ignorait tout de son père. Jusqu'au jour où on lui remit une lettre d'un certain colonel Pontmercy. Marius la lut :

« *À remettre à mon fils après ma mort.*

L'empereur m'a fait baron sur le champ de bataille de Waterloo. À cette même bataille, un sergent m'a sauvé la vie. Cet homme s'appelle Thénardier. Si mon fils le rencontre, il fera à cet homme tout le bien qu'il pourra. »

chenapans personnes sans scrupules et sans moralité.
excentrique original.

Marius montra la lettre à son grand-père et exigea des explications. Il apprit ainsi que son aïeul avait profité de la mort de sa mère, en 1815, pour se faire remettre son petit-fils : « Cet enfant est le fils de ma fille » avait-il dit, « si on ne me le donne pas, je le déshérite. »

Le père avait cédé dans l'intérêt du petit et ne l'avait jamais revu. Ces révélations tardives rendirent Marius furieux contre son grand-père, un homme qu'il aimait mais dont il ne partageait pas les opinions politiques. Le vieil homme s'emporta, insulta la mémoire de son père et de tous les républicains. Alors Marius claqua la porte et partit avec trente francs en poche sous les malédictions du vieil homme. Il vendit sa montre, la plupart de ses vêtements, un ami lui trouva un petit emploi chez un libraire et un logis « pas cher du tout », en attendant mieux. C'est ainsi que Marius avait rejoint la population douteuse et changeante de la masure Gorbeau.

Il avait là pour voisins une famille d'indigents, spécialistes en filouteries* de tous genres, qui survivaient tant bien que mal grâce à la charité de quelques philanthropes. Le père Jondrette, sa femme et ses filles étaient de petites crapules comme il en existait tant à Paris à cette époque. Lorsqu'ils tenaient un bienfaiteur, ils s'ingéniaient pour lui soutirer le plus d'argent possible, s'inventaient des identités, des maladies, se disaient victimes d'injustices ou du sort. Marius avait fait connaissance de leur fils, un jeune garçon d'une dizaine d'années, Gavroche, qui ne vivait pas avec eux. Du reste, sa mère n'aimait que ses sœurs, de ses trois garçons, elle avait vendu les plus jeunes et mis l'aîné de neuf ans à la porte*.

Pendant l'hiver 1832, un jour que Gavroche se trouvait chez Marius, ils entendirent un grand remue-ménage* dans la pièce à côté. Sa sœur aînée venait d'entrer.

---

filouteries escroqueries.
à la porte (mettre quelqu'un) le chasser.

remue-ménage agitation.

– Que se passe-t-il donc chez mes vieux* ? dit Gavroche. À coup sûr, ils préparent un bon coup.

Le gamin se leva, escalada la commode, approcha sa prunelle d'un trou triangulaire qui formait une espèce de judas* dans le mur.

– Monte, je te laisse ma place, moi, je les connais trop bien leurs arnaques*. Et puis, tu verras ma grande sœur. Tu sais, elle me parle souvent de toi, Éponine. Je crois bien qu'elle est amoureuse.

Marius prit la place de Gavroche et regarda à travers le trou. Une jeune fille venait d'entrer dans le taudis. Elle avait aux pieds de gros souliers d'homme tachés de boue et elle était couverte d'une vieille mante en lambeaux.

– Il vient !

– Ma femme ! cria le père Jondrette, tu entends ? Voilà le philanthrope. Éteins le feu!

Puis il se tourna vers sa cadette qui était sur un grabat près de la fenêtre et lui cria d'une voix tonnante :

– Azelma ! Vite ! Casse un carreau ! Et toi, ma femme, mets-toi au lit.

En ce moment on frappa un léger coup à la porte ; l'homme s'y précipita :

– Entrez, Monsieur ! Entrez, Mademoiselle !

Un homme d'un âge mûr et une jeune fille parurent sur le seuil du galetas.

Marius n'avait pas quitté sa place. Ce qu'il éprouva en ce moment échappe à la langue humaine. C'était Elle. Marius était sidéré. Elle, ici ! Il l'avait tant cherchée depuis leur première rencontre qu'il avait fini par douter de son existence. Il vit dans cette coïncidence une prémonition, comme un signe du destin.

---

vieux (*arg.*) parents.
judas petit trou pratiqué généralement dans une porte et permettant de voir sans être vu.

arnaques escroqueries.

Cependant, le philanthrope s'était approché de Jondrette :

– Monsieur, je vous ai apporté des vêtements neufs et des couvertures.

– Oh merci, cher Monsieur, merci. Mes pauvres mômes* n'ont pas de feu ! Mon unique chaise dépaillée ! Un carreau cassé ! Par le temps qu'il fait ! Mon épouse au lit ! Malade !

– Pauvre femme ! dit le philanthrope.

Pendant que le vieil homme s'apitoyait, Jondrette s'approcha vivement de sa fille cadette et lui pinça si fort le bras que la petite poussa un cri strident et se mit à pleurer.

– Et, en plus, le propriétaire veut nous chasser ! Nous lui devons soixante francs de loyer.

– Monsieur, dit Jean Valjean, je n'ai pas autant d'argent sur moi, mais je reviendrai ce soir.

Pendant toute la scène, Jondrette, mine de rien, avait observé l'inconnu comme s'il avait cherché à mettre un nom sur son visage.

Il répondit vivement :

– À huit heures je dois être chez mon propriétaire.

– Je serai ici à six heures, soyez sans crainte*, et je vous apporterai le nécessaire.

– Oh merci ! Merci mon bienfaiteur ! cria Jondrette éperdu en raccompagnant Jean Valjean à la porte.

Quand le vieil homme et sa fille furent sortis, Jondrette regarda sa femme et dit :

– C'est lui.

– Qui, lui ?

– L'homme qui nous a pris la petite à Montfermeil.

– Quoi, vraiment ? Tu es sûr ?

mômes *(fam.)* enfants.
soyez sans crainte soyez tranquille.

– Sûr ! je l'ai reconnu tout de suite ! Ah ! Vieux mystérieux du diable, je te tiens, va ! Et veux-tu que je te dise encore une chose ?

– Quoi ? demanda-t-elle.

Il répondit d'une voix brève et basse :

– La belle demoiselle qui l'accompagne…

– Non ?!

– Si, c'est elle.

– Oh ! C'est trop injuste ! s'exclama la femme, rouge d'indignation et de colère.

– Calme-toi, ma douce. Il est à nous, le crésus !

– Qu'est-ce que tu veux faire ?

– Écoute bien, voici mon plan. À six heures, il n'y a personne dans la maison. Les petites feront le guet, toi, tu nous aideras. En attendant, je vais chercher du renfort. Il faudra bien qu'il s'exécute.

– Et s'il ne s'exécute pas ? demanda la femme.

Jondrette fit un geste sinistre et dit :

– Nous l'exécuterons. Et il éclata de rire.

Ce méchant rire fit frissonner Marius. Un assassinat ! Le père de Cosette assassiné ! Il descendit de la commode et se précipita vers la fenêtre de sa chambre, l'ouvrit et regarda en bas dans la rue. Elle était debout devant le fiacre; sans se soucier des convenances, il lui fit signe. Cosette leva la tête, surprise, le reconnut, hésita un instant et lui sourit en rougissant avant de disparaître dans la voiture.

– Encore un jobard* qu'ils vont plumer*, n'est-ce pas ? dit Gavroche en riant.

– Dis plutôt tuer, répondit Marius qui, dans son affolement, avait oublié qu'il parlait à leur fils. Il voulut se reprendre, mais Gavroche l'en empêcha:

jobard (*fam.*) naïf.
plumer (*fam.*) voler.

– Ne t'en fais pas, lui dit-il, je m'en moque de ces infâmes, s'ils vont en prison, bon débarras !

– Alors écoute, reprit Marius, il n'y a pas une minute à perdre ! Essaie de savoir où habitent cet homme et sa fille, moi je file avertir la police. Rendez-vous ici, à six heures !

À la préfecture de police, Marius raconta ce qu'il avait vu et entendu. Il fournit les noms, l'adresse, l'heure ; quant au philanthrope, il ne le connaissait pas. L'inspecteur l'écouta attentivement et avant de le congédier lui donna un pistolet.

– Prenez-le, dit-il, vous m'avertirez d'un coup de feu lorsqu'ils seront tous à l'intérieur. Nous les prendrons en flagrant délit*, ils seront plus lourdement condamnés. Et si d'ici ce soir vous avez besoin de moi, venez et demandez l'inspecteur Javert.

Marius rentra chez lui en proie à une grande agitation. Le pistolet dans sa poche l'effrayait, son grand-père l'ayant toujours tenu loin des armes de peur qu'il ne suive les traces de son père. Vers cinq heures, Gavroche arriva.

– As-tu vu ta sœur ? lui demanda Marius.

– Oui et non, répondit Gavroche.

– Gavroche, ce n'est pas le moment de plaisanter. L'as-tu vue ?

– Je l'ai vue, mais elle ne m'a rien dit. Éponine est dans le coup, elle fait le guet en bas avec Azelma. Elle n'allait pas vendre la mèche* ! ...

Marius sortit le pistolet de sa poche et alla se placer devant le trou du mur.

– Et ça ? demanda Gavroche.

– Ne crains rien, c'est pour avertir les policiers le moment venu.

– Eh bien, moi, je retourne voir Éponine ; on ne sait jamais, des fois qu'elle ait changé d'avis.

en flagrant délit sur le fait.
vendre la mèche révéler un secret.

À six heures, Jean Valjean se présenta sous les traits du philanthrope.

– Je vois que vous avez fait du feu, dit le vieil homme en entrant. Voilà qui devrait suffire pour payer votre loyer et faire réparer votre carreau. Et il déposa un billet de cent francs sur la table.

Jondrette commença par faire mille courbettes et rejoua la comédie de ses misères. Mais il l'abrégea brutalement et fit entrer quatre hommes, le visage noir de suie*. Jean Valjean s'adossa au mur et promena rapidement son regard dans la chambre. Un guet-apens ! Il venait de reconnaître l'aubergiste de Montfermeil. Jondrette s'avança vers lui :

– Sais-tu qui je suis ?

Jean Valjean le regarda en face et lui répondit :

– Non. Mais pourquoi me tutoyez-vous ?

– Pardi, tu as soupé chez moi un soir d'hiver. On a même fait des affaires ensemble, de bonnes affaires. Surtout pour toi, vieux bandit !

– Vous me prenez pour un autre, Monsieur, dit Jean Valjean pour essayer de gagner du temps.

– Et la petite, la fille de la Fantine, hein ? Ça non plus ça ne te dit rien ? Tu ne vois vraiment pas ?

– Ce que je vois, Monsieur, c'est que vous êtes un bandit.

– Bandit toi-même ! Je ne suis pas un homme louche*, moi ! Je ne suis pas un homme dont on ne sait point le nom et qui vient enlever des enfants dans les maisons ! J'ai fait faillite à Montfermeil, c'est vrai, mes créanciers me recherchent, c'est vrai, je me cache, je suis pauvre, tout cela est vrai, mais c'est la société qui est injuste. Et ingrate. Je suis un ancien soldat français, moi : sergent Thénardier, pour vous servir. J'étais à Waterloo, moi ! Et j'ai sauvé dans la bataille un colonel, baron de je ne sais quoi ! Je devrais être décoré, mille noms de noms ! Et maintenant, finissons-en, il me faut de l'argent, il me faut beaucoup

suie poussière noire provoquée par la combustion du charbon.
louche qui éveille les soupçons, la méfiance.

d'argent, il me faut énormément d'argent, ou je vous extermine, tonnerre du bon Dieu ! Aidez-moi vous autres ! Les quatre hommes se saisirent de Jean Valjean et l'attachèrent au pied du lit.

– Apporte-lui de quoi écrire, dit Thénardier à sa femme sans quitter des yeux son prisonnier.

Au moment où Jondrette avait dit : Sergent Thénardier, Marius avait tremblé de tous ses membres et s'était appuyé au mur comme s'il avait senti le froid d'une lame d'épée à travers son cœur. Ce nom, il le portait au fond de sa mémoire avec le souvenir sacré de ce père qu'il n'avait pas connu. Quoi ! C'était lui ce Thénardier, cet intrépide* sergent qui avait sauvé le colonel au milieu des boulets et des balles de Waterloo ? Une canaille ! Il n'en croyait pas ses oreilles : le sauveur de son père était un scélérat ! Pire, lui et ses hommes s'apprêtaient à tuer un homme. Tirer le coup de feu qui sauverait cet homme, c'était trahir les dernières volontés de son père ; ne pas tirer, c'était perdre Cosette. Que faire ? Qui choisir ? Marius n'eut que le temps de se poser ces questions, car Javert était entré chez les Thénardier avec ses agents. Fatigué d'attendre un signal qui n'arrivait pas, il avait décidé de passer à l'action.

– Les menottes* à tous ! cria Javert, la femme aussi ! Et amenez-moi le prisonnier.

Les agents regardèrent autour d'eux.

– Eh bien, demanda Javert, où est-il donc ?

Le prisonnier avait disparu. Jean Valjean avait profité du tumulte pour s'élancer par la fenêtre.

– Diable ! fit Javert entre ses dents, ce devait être le meilleur !

---

intrépide qui n'a pas peur du danger.
menottes anneaux métalliques reliés par une chaîne que la police passe aux mains des malfaiteurs.

Vocabulaire et production écrite

1 Cherche dans la grille vingt-quatre mots tirés du chapitre ; aligne ensuite les lettres restantes de façon à reconstituer le titre de l'épisode du guet-apens dans le roman de Victor Hugo ; utilise enfin les mots de la grille pour résumer l'essentiel du chapitre.

	A	B	C	D	E	F	G	H	I	J	K	L	M	N	O
1	O	N	P	D	É	T	U	D	I	A	N	T	S	L	E
2	V	R	A	R	É	V	O	L	T	E	I	T	T	O	D
3	O	I	U	J	I	O	A	V	O	C	A	T	U	G	É
4	B	N	R	A	S	S	A	S	S	I	N	A	T	I	M
5	I	D	S	P	C	V	O	I	S	I	N	S	O	S	O
6	E	I	G	R	I	C	E	N	F	M	M	E	N	S	C
7	N	G	C	R	E	S	O	M	N	E	E	R	D	C	R
8	F	E	M	P	A	N	T	L	P	I	N	A	E	É	A
9	A	N	E	R	P	N	F	O	O	L	E	Ê	S	L	T
10	I	T	N	A	E	A	D	O	L	N	O	R	T	É	I
11	T	S	O	R	U	R	P	-	R	E	E	I	I	R	E
12	E	R	T	G	P	Ê	È	T	P	T	T	L	N	A	E
13	U	E	T	E	L	R	R	L	E	È	S	V	I	T	C
14	R	T	E	N	E	I	E	M	S	E	R	G	E	N	T
15	E	S	S	T	C	O	Ï	N	C	I	D	E	N	C	E

Compréhension et production orale

2 Lis attentivement le texte puis réponds en justifiant tes réponses.

		V	F
1	Après la mort de son épouse le père de Marius s'était remarié.	☐	☐
2	Son fils venait souvent lui rendre visite.	☐	☐
3	Le colonel Pontmercy habitait quelque part loin de Paris.	☐	☐

		V	F
4	Il vivait confortablement dans une belle demeure.	☐	☐
5	Marius vivait dans la maison de son grand-père.	☐	☐
6	Marius admirait son père.	☐	☐
7	Il ne lisait jamais les lettres que son père lui écrivait.	☐	☐
8	Monsieur Gillenormand n'avait aucune estime pour son gendre.	☐	☐

Le père de Marius, que monsieur Gillenormand surnommait « le brigand de la Loire », n'avait rien que sa maigre demi-solde d'officier pour vivre. Il avait loué à Vernon la plus petite maison qu'il avait pu trouver. Il y vivait seul. Sous l'Empire, entre deux guerres, il avait trouvé le temps d'épouser mademoiselle Gillenormand. Le vieux bourgeois, indigné au fond, avait consenti en soupirant et en disant : « Les plus grandes familles y sont forcées. » En 1815, madame Pontmercy était morte, laissant un enfant. Cet enfant aurait été la joie du colonel dans sa solitude ; mais l'aïeul avait impérieusement réclamé son petit-fils, déclarant que, si on ne le lui donnait pas, il le déshériterait. Le père avait cédé dans l'intérêt du petit. Monsieur Gillenormand n'avait aucune relation avec son gendre. Le colonel était pour lui « un bandit », et il était pour le colonel « une ganache ». Il était expressément convenu que Pontmercy n'essaierait jamais de voir son fils ni de lui parler, sous peine qu'on le lui rendît chassé et déshérité. L'enfant, qui s'appelait Marius, savait qu'il avait un père, mais rien de plus. Personne ne lui en parlait jamais. Cependant, dans le monde où son grand-père le menait, les chuchotements, les demi-mots, s'étaient fait jour à la longue jusque dans l'esprit du petit, il avait fini par ne songer à son père qu'avec honte et le cœur serré. Pendant qu'il grandissait ainsi, tous les deux ou trois mois, le colonel s'échappait, venait furtivement à Paris, et allait se poster à Saint-Sulpice, à l'heure où la tante Gillenormand menait Marius à la messe. Là, caché derrière un pilier, immobile, n'osant respirer, il regardait son enfant. Deux fois par an, au 1er janvier et à la Saint-Georges, Marius écrivait à son père des lettres de devoir que sa tante dictait ; c'était tout ce que tolérait monsieur Gillenormand ; et le père répondait des lettres fort tendres que l'aïeul fourrait dans sa poche sans les lire.

3 Intrigué par l'inconnu qu'il rencontrait régulièrement dans son église, le curé de Saint-Sulpice avait fini par découvrir le douloureux secret du colonel Pontmercy. C'est à ce prêtre que l'officier, devenu son ami, confia la lettre que lut Marius après sa mort. À deux. Imaginez le dialogue entre Marius et le curé de Saint-Sulpice le jour où celui-ci lui apprit la mort de son père.

4 Un homme de lettres. Thénardier, alias Jondrette (entre autres pseudonymes) a des idées mais fait de cruelles fautes lorsqu'il les transpose à l'écrit. Lis le récit de ses filouteries et corrige les fautes d'orthographe qui se sont glissées dans ses lettres.

Depuis assez longtemps déjà que Marius habitait la masure, il n'avait eu que de bien rares occasions de voir, d'entrevoir même, son très infime voisinage. Il avait l'esprit ailleurs. Il avait dû plus d'une fois croiser les Thénadier dans le corridor ou dans l'escalier ; mais ce n'était pour lui que des silhouettes. Un soir, pourtant, il avait croisé l'aînée des filles de son voisin sur le boulevard. En le voyant, elle s'était mise à courir. Marius se retourna, surpris, au moment où un paquet tombait de sous sa mante trouée. C'étaient des lettres, cinq lettres non cachetées sur le verso desquelles était inscrites autant d'adresses. Il ouvrit la première et lut :

Au monsier bienfesant de l'aiglise Saint-Jacques-du-Haut-Pas

Homme bienfesant,
Si vous dainiez acompagner ma fille, vous verrez une callamité misérable. Les destins sont terribles pour certains et trop prodigues ou trop protecteurs pour d'autres. J'attens votre présence ou votre offrande, si vous daigner la faire, et je m'honore d'être, homme vraiment manianime, votre très humble et très obéissant serviteur.

P. Fabantou, artiste dramatique.

Les autres lettres étaient des suppliques comme la première, signées par des personnes différentes, un exilé espagnol, une femme abandonnée avec ses enfants par son mari, un poète dans le besoin. Marius remarqua qu'elles étaient écrites de la même écriture que la première et qu'elles contenaient les mêmes fautes d'orthographe. L'une d'elle lui était d'ailleurs adressée, sauf que celle-ci était signée ... Jondrette.

Mon aimable voisin, jeune homme !

Ma fille aîné vous dira que nous sommes sans un morceau de pain depuis deux jours. Si je ne suis point déssu dans ma pensée, je crois devoir espérer que votre cœur généreu s'humanisera à cet exposé et vous subjuguera le désir de m'être propisse en dainiant me prodiguer un léger bienfait. Je suis avec la considération distingué qu'on doit au bienféteurs de l'humanitée.

Jondrette.

À la lecture de ces lettres, Marius conclut que son voisin Jondrette avait pour industrie dans sa détresse d'exploiter la charité des personnes bienfaisantes, qu'il se procurait des adresses, et qu'il écrivait sous de faux noms, à des gens qu'il jugeait riches, des lettres que ses filles portaient à leurs risques et périls. Marius referma le paquet et alla le déposer devant la porte des Jondrette.

ACTIVITÉ DE PRÉ-LECTURE

5 La misère d'un jeune homme n'est jamais misérable.

À cette époque, Marius avait vingt et un ans. Il y avait quatre ans qu'il avait quitté son grand-père. Monsieur Gillenormand qui, sous ses airs brusques, idolâtrait Marius, souffrait terriblement. Il ne s'informait jamais de lui, mais il y pensait toujours. Quant à Marius, la misère lui avait fait du bien. La pauvreté l'avait fait grandir. Était-il malheureux ? Non. La misère d'un jeune homme n'est jamais misérable. Chaque matin, il se remet à gagner son pain ; et tandis que ses mains gagnent du pain, son épine dorsale gagne de la fierté, son cerveau gagne des idées. Il est ferme, serein, doux, paisible, attentif, sérieux, content de peu, bienveillant ; et il bénit Dieu de lui avoir donné ces deux richesses qui manquent à bien des riches, le travail qui le fait libre et la pensée qui le fait digne.

Marius reverra-t-il son grand-père ? S'ils se revoyaient, leur rencontre se solderait par...

☐ Une réconciliation. ☐ Une nouvelle dispute. ☐ Ni l'une ni l'autre.
Justifie ton choix.

Chapitre 7

L'idylle de la rue Plumet

▶ 4 Plusieurs semaines passèrent, tous les Thénardier avaient disparu. Les parents étaient en prison, mais les autres ? Éponine avait-elle été arrêtée, elle aussi ? Aucune nouvelle de Gavroche non plus. Les premiers jours, Marius n'osa pas sortir de crainte d'être absent si le frère ou la sœur étaient venus lui apporter des nouvelles, l'adresse de Cosette, surtout. Il n'osait pas non plus aller à la préfecture de police de peur d'éveiller les soupçons de Javert. Pourquoi ne s'était-il pas servi de son pistolet ? Son hésitation avait failli faire tout rater. Et ce soi-disant* philanthrope, était-il sûr de ne pas le connaître ? Il resta donc cloîtré chez lui, n'ouvrant à personne, sortant le moins possible, et jamais avant la tombée du jour.

Un soir qu'il se rendait au café Musain où l'attendaient ses amis, il rencontra Éponine dans l'escalier. Malgré toute la répulsion* qu'il éprouvait pour cette pauvre fille, il fut content de la voir.

– Je savais que je vous trouverais ici, Monsieur Marius. Si je ne suis pas venue tout de suite, c'est qu'il a fallu que je m'occupe de mon père. Enfin, il est en lieu sûr, c'est le principal.

– Il s'est évadé ?

– Chut ! C'est un secret, dit-elle en riant, il n'y a que la police qui est au courant.

Marius sourit, soulagé.

---

soi-disant qui se fait passer pour ; prétendu.
répulsion répugnance, sentiment de dégoût.

– Ne me dites pas que le sort de cette vieille canaille vous intéresse ? Moi, je suis bien obligée, mais vous ?

– J'ai une dette envers lui.

– Vous êtes bien le premier ! D'habitude, c'est le contraire.

– Il a sauvé la vie de mon père à Waterloo.

– C'est donc vrai cette histoire ? Et moi qui n'y croyais pas. C'est vous le fils de son général ?

– Colonel, rectifia Marius, colonel Pontmercy.

– Ça alors ! Vous rendez-vous compte, Monsieur Marius, nos pères se sont connus avant nous ? Dire que le mien a sauvé le vôtre !

Un éclair de joie brilla dans les yeux d'Éponine, ravie de pouvoir partager quelque chose avec Marius. Du premier jour qu'elle l'avait vu, le soir même de son arrivée à la masure Gorbeau, elle n'avait eu d'yeux que pour lui*, épiant ses moindres gestes, le suivant dans Paris ; elle connaissait ses amis, savait où il les rencontrait ; tous les jours, elle passait devant le café Musain.

– Pourquoi m'avez-vous envoyé Gavroche pour l'adresse ? Je vous l'aurais donnée si vous me l'aviez demandée.

– Le soir où ton père tendait son piège à ce pauvre homme ?

Éponine ne répondit pas tout de suite.

– Il n'est pas à plaindre, allez, ce millionnaire ! finit-elle par dire en refoulant un geste de dépit*, nous sommes bien plus malheureux que lui. Mais maintenant, c'est différent, dit-elle, reprenant son air enjoué, maintenant que tout est fini, je peux.

– Alors, donne-la-moi.

– Dites-moi d'abord pourquoi vous la voulez, cette adresse ? Vous les connaissez ces deux là ?

– Non.

elle n'avait eu d'yeux que pour lui elle n'avait fait que penser à lui.
dépit mouvement d'impatience provoqué par une contrariété, une déception.

– En somme, vous ne *la* connaissez pas, mais vous voulez *la* connaître, c'est ça ? dit-elle en insistant deux fois sur « la ».

– Oui.

– Qu'est-ce que vous me donnerez en échange ?

– Tout ce que tu voudras.

– Promis ? Venez avec moi, je vais vous conduire. Mais laissez-moi aller devant, et suivez-moi à distance, il ne faut pas qu'on voie un jeune homme bien comme vous avec une femme comme moi.

Ils traversèrent ainsi Paris, elle marchait devant, il la lui suivait, ne songeant qu'à Cosette, fou de joie de la retrouver enfin. S'il avait pu voir le visage de son guide ! Éponine était heureuse de lui avoir tant fait plaisir, « Oh ! Comme il est content ! » pensait-elle ; et en même temps, elle souffrait atrocement car elle sentait bien que cette joie était pour une autre. Ils arrivèrent devant une grande maison, entourée d'un jardin. Éponine s'arrêta, Marius la rejoignit.

– C'est là, dit-elle. À propos, vous savez que vous m'avez promis quelque chose ?

Marius fouilla dans sa poche. Il n'avait que cinq francs, il les prit, et les mit dans la main d'Éponine. Elle ouvrit les doigts et laissa tomber la pièce à terre, puis le regardant d'un air sombre* :

– Je ne veux pas de votre argent, dit-elle.

Le lendemain matin, Cosette trouva une pierre sur le banc du jardin où elle avait l'habitude de s'asseoir. En la soulevant, elle vit la lettre de Marius. Elle la lut et comprit que ce ne pouvait être que lui, le jeune homme qu'elle avait croisé au Jardin du Luxembourg, le même qu'elle avait revu avec son père quelques jours plus tard dans cette maison pitoyable*. Qu'y faisait-il ? C'est une question qu'elle ne se posa pas.

d'un air sombre triste.
pitoyable qui inspire la pitié.

Les mots du jeune homme dansaient dans sa tête, elles les relisait, une fois, dix fois : « *Le jour où une femme qui passe devant vous dégage de la lumière en marchant, vous êtes perdu, vous aimez... Rien ne suffit à l'amour. On a le bonheur, on veut le paradis ; on a le paradis, on veut le ciel.* »

Quand Cosette rentra du jardin, son père vint vers elle. Elle se détourna vivement, de peur de se trahir. Elle avait un secret, c'était son premier secret, elle ne voulait le partager avec personne :

– Excusez-moi, père, mais j'ai une horrible migraine*, je monte me coucher.

Le jour suivant, Cosette s'attendait à trouver une lettre, elle trouva Marius en fin de journée, assis sur le banc du jardin. Elle ne poussa pas un cri. Elle resta devant lui, immobile. Alors elle entendit sa voix :

– Pardonnez-moi, je suis là. J'ai le cœur gonflé, je ne pouvais plus attendre, je suis venu. De ne plus vous voir, j'ai cru que j'allais mourir. Si vous saviez ! Je vous adore, moi ! Pardonnez-moi, je vous parle, je ne sais pas ce que je vous dis, je vous fâche* peut-être ; est-ce que je vous fâche ?

Cosette vint s'asseoir sur le banc, elle lui prit une main et la posa sur son cœur. Il sentit frissonner le papier de sa lettre sous son corsage.

Il balbutia :

– Vous m'aimez donc ?

Elle répondit tout bas, dans un souffle :

– Tais-toi ! Tu le sais !

Ils s'embrassèrent. Un baiser, et ce fut tout. Tous deux tressaillirent, et ils se regardèrent dans l'ombre avec des yeux éclatants.

– Je m'appelle Marius, lui dit-il.

– Je sais. Et moi, Cosette.

– Je sais.

---

migraine mal de tête.
je vous fâche je vous déplais, je vous suis désagréable.

Pendant tout le mois de mai 1832, Cosette et Marius se rencontrèrent ainsi sur le banc du jardin. Comme il n'y avait jamais personne dans la rue et que d'ailleurs Marius ne pénétrait dans le jardin que la nuit, ils ne risquaient pas d'être vus. Jean Valjean, quant à lui, ne se doutait de rien, il avait pris l'habitude, lorsqu'il était jardinier au couvent, de se coucher tôt et de se lever de bonne heure.

Que se passait-il entre ces deux êtres ? Rien. Ils s'adoraient. Le premier baiser avait été aussi le dernier. Cosette était pour Marius un parfum et non une femme. Il la respirait. Elle ne refusait rien et il ne demandait rien. Aussi bizarre que cela puisse paraître, il ne vint jamais à l'esprit de Marius* de parler à Cosette de l'aventure nocturne de la masure, des Thénardier, ni de la singulière fuite* de son père cette nuit-là. De même. Cosette ne songea jamais à lui demander ce qu'il faisait à la masure Gorbeau l'après-midi où il lui avait fait signe de sa fenêtre.

Le 4 juin, Marius, à la nuit tombante, suivant le même chemin que tous les jours depuis déjà quatre semaines, entra dans le jardin. Cosette l'attendait assise sur leur banc. Elle était triste, elle avait pleuré. Elle avait les yeux rouges.

– Qu'as-tu ? lui demanda-t-il.

– Mon père m'a dit ce matin de me tenir prête, qu'il avait des affaires, et que nous allions partir pour l'Angleterre.

Marius frissonna de la tête aux pieds. Il ne crut pas un instant aux *affaires* du père de Cosette ; si le vieil homme avait décidé de quitter Paris, c'est qu'il craignait pour lui, peut-être aussi pour elle. Ce départ précipité était probablement une nouvelle fuite.

– Je sais ce qu'il me reste à faire, dit Marius en se levant

Il ne vint jamais à l'esprit de Marius il ne pensa jamais à.
singulière étrange, bizarre.

brusquement. Si brusquement que Cosette craignit le pire, allaient-
ils se quitter ainsi ? Pour toujours ?

Marius prit la main de Cosette et l'étreignit sans répondre.

– Viens me rejoindre où je serai, lui dit-elle, tremblante.

– Je te suivrai au bout du monde, ma Cosette, mais il faut de
l'argent, et je n'en ai pas ! Par contre, je sais où je peux en trouver,
ajouta Marius.

Cosette le regarda sans comprendre, vaguement inquiète.

– Rassure-toi, mon amour, lui dit Marius, je connais un vieux
monsieur qui pourrait faire notre bonheur. Encore faut-il qu'il le
veuille. Attends-moi ici demain soir. Nous aviserons* lorsque j'aurai
eu sa réponse.

Le lendemain, Marius se présenta au domicile de son grand-père. En
le voyant, le vieillard éprouva une violente émotion. Depuis quatre
ans que Marius avait quitté sa maison, pas un jour n'avait passé sans
qu'il pensât à son petit-fils. Il aurait tout donné pour que Marius
revienne, tout sauf son orgueil de patriarche inflexible*. En fait, il
aurait voulu que son petit-fils rentrât au bercail comme l'Enfant
prodigue, humblement, en reconnaissant ses torts. Il lui aurait tout
pardonné, mais jamais il n'aurait fait le premier pas.

– Qu'est-ce que vous venez faire ici ? lui lança-t-il.

– Monsieur, dit Marius, je sais que ma présence vous déplaît, mais
je viens seulement pour vous demander une chose.

– Vous venez me demander quelque chose, dites-vous ? Eh bien
quoi ? Parlez.

– Monsieur, dit Marius, je viens vous demander la permission de
me marier.

aviserons déciderons.
inflexible inébranlable.

– Vous marier ! À vingt et un ans ! Sans emploi, sans argent ! C'est pour me dire des bêtises pareilles que vous venez chez moi après quatre ans sans donner de vos nouvelles ?

– Monsieur, reprit Marius, je vous en supplie ! Je vous en conjure, au nom du ciel, permettez-moi de l'épouser.

Le vieillard poussa un éclat de rire strident et lugubre :

– Et comment s'appelle la future baronne de Pontmercy ?

– Cosette Fauchelevent.

– Cosette Fauchequoi ?

– Fauchelevent.

– Pfft ! fit le vieillard.

– Monsieur ! s'écria Marius.

Monsieur Gillenormand essaya à sa façon de mettre fin à la dispute, sa voix se radoucit :

– As-tu besoin de te marier à vingt ans, nigaud* ? Avec une Fauchelaquoi en plus ! Elle est belle ? Tant mieux, profites-en, fais-en ta maîtresse.

– Jamais !

Marius marcha vers la porte d'un pas assuré et ferme. Là il se retourna, s'inclina profondément devant son grand-père, redressa la tête, et dit :

– Il y a quatre ans, vous avez outragé mon père ; aujourd'hui vous outragez ma femme. Je ne vous demande plus rien, Monsieur. Adieu.

Le vieillard resta quelques instants immobile, sans pouvoir parler ni respirer, comme si un poing fermé lui serrait le gosier*. Quand son petit-fils était entré, il aurait voulu l'embrasser, le serrer contre lui, il n'avait pas pu, maintenant qu'il partait, il aurait voulu le retenir. Il ne le put pas. En rentrant, Marius se rendit place Saint-Michel. Le

nigaud niais, sot.
gosier gorge.

quartier était en agitation, une barricade en fermait l'accès. Il se fraya un passage jusqu'à l'entrée du café Musain. Bizarrement, la porte était fermée et les rideaux tirés. Il frappa, un visage apparut derrière une vitre : « C'est Marius, ouvrez ! » Sans le savoir, Marius arrivait en pleine réunion de l'A B C. L'heure était grave. Depuis des mois la révolte grondait*, il ne manquait qu'une étincelle pour mettre le feu aux poudres. La fusillade qui avait éclaté le matin même pendant l'enterrement du général Lamarque, l'un des derniers fidèles de Napoléon, avait déclenché l'insurrection.

– Que se passe-t-il ? demanda Marius en entrant.

– La Révolution, mon cher, répondirent en chœur ses amis.

– Où étais-tu donc passé ? Cela fait des semaines qu'on te cherche partout.

– Tu nous excuseras de ne pas t'inviter à t'asseoir, mais nous n'avons plus de chaises, elles sont sur la barricade ! dit Prouvaire en l'embrassant.

Marius regarda autour de lui. Sur la grande table du café étaient alignés une vingtaine de fusils et autant de pistolets.

– Ce serait trop long à vous expliquer mes amis, dit-il enfin, sachez seulement que …

– Quoi ?

– J'aime.

– Qui ?

– Je l'ignore. Je ne sais rien d'elle.

La réponse de Marius déclencha un fou rire* général.

– Enfin, je connais son nom.

– C'est un bon début, dit Coufeyrac. Tu nous préviendras lorsque tu auras son adresse.

grondait menaçait d'éclater.
fou rire rire qu'on ne peut arrêter.

– Mais je l'ai, son adresse. Et elle connaît la mienne. Et maintenant, mes amis, je vous prie de m'excuser car elle m'attend.

– Qui, toi, chez elle ?

– Non, dans son jardin.

Nouveaux éclats de rires. Au milieu des plaisanteries, on entendit la voix d'Enjolras:

– Heureusement, car avec ces vêtements-là, mon vieux, tu n'avais aucune chance d'être reçu, tu n'es vraiment pas présentable.

– En tout cas, en voilà un qui est perdu pour notre cause, dit Coufeyrac en lui tapant sur l'épaule. C'est égal, Marius, cette révolution se fera sans toi. Après tout, l'amour aussi est une sacrée révolution. Et puis, tu nous la présenteras quand tout sera fini ; on boira ensemble à la santé de la République.

– Vive la République ! crièrent tous les insurgés.

Le soir même Marius pénétrait dans le jardin de la rue Plumet. Cosette n'était pas sur leur banc. Les volets de la maison étaient fermés, aucune lumière ne filtrait de l'intérieur. « Monsieur Marius ! On se bat dans le quartier des halles, vos amis vous attendent à la barricade de la rue de la Chanvrerie. » La voix venait de la rue. Marius s'approcha de la grille. C'était Éponine.

– Ne les cherchez plus, Monsieur Marius, ils sont partis tantôt. J'ai vu la voiture de déménagement*.

Marius fixa ses yeux désespérés sur Éponine, puis sur cette maison lugubre, aussi noire, aussi silencieuse et plus vide qu'une tombe. Cosette était partie sans l'attendre ! C'était fini. Personne dans le jardin, personne dans la maison. Il regarda le banc de pierre vide et il se dit que, puisque Cosette était partie, il n'avait plus qu'à mourir. ⬛

---

déménagement action de transporter ses meubles d'une maison à une autre.

Vocabulaire et production écrite

1 En bref. Cherche dans la grille quinze mots tirés du chapitre ; utilise ensuite ces mots pour résumer l'essentiel du chapitre.

	A	B	C	D	E	F	G	H	I	J	K	L
1	O	B	A	R	R	I	C	A	D	E	J	I
2	R	A	T	A	D	R	E	S	S	E	U	Y
3	G	N	Y	B	M	L	E	T	T	R	E	F
4	U	C	V	Y	N	D	I	S	P	U	T	E
5	E	P	G	V	I	E	I	L	L	A	R	D
6	I	N	S	U	R	R	E	C	T	I	O	N
7	L	B	O	N	H	E	U	R	D	F	U	I
8	Q	J	T	D	É	P	A	R	T	E	R	V
9	M	K	P	E	R	M	I	S	S	I	O	N
10	I	O	Y	A	S	B	A	I	S	E	R	E
11	A	M	O	U	R	D	M	A	I	S	O	N
12	B	T	D	J	A	R	D	I	N	M	L	S

Compréhension

2 Sépare correctement les mots du texte, complète les parties manquantes avec les groupes de lettres suivantes, puis rétablis la ponctuation et les majuscules :

> aitenhi • ardamaisnon • bleuesla • danslesb • duefoll • leetjo • sarddansson • utecom • ventditqu' • yregarda.

unjourcosetteseregardaparha..............................miroiretsetrouvajoliec ecilajetadansuntroublesingulierjusquàcemomentellenavaitpointsong éàsafigureellesevoyaitdanssonmiroirmaisellenes..............................itpas etpuisonluiavaitsou..............................elleétaitlaideorvoiciquetoutd'unc oupsonmiroirluidisaitlecontraireellenedormitpasdelanuitlelendemain

ellesereg.................................parhasardelleneputqueconstaterquelemiroi
rnementaitpaselleétaitbel.............................liesataillesétaitfaitesapeaua
vaitblanchisescheveuxétaientlustrésunesplendeurinconnuesétaitall
uméedanssesprunelles.............................consciencedesabeautéluivintt
outeentièreenunemin.............................meungrandjourquisefaitelledes
cenditaujardinsecroyantreineentendantlesoiseauxchanterc'ét.............
.................vervoyantlecieldorélesoleildanslesarbresdesfleurs..................
.............uissonséper.............................edansunravissementinexprimable

Grammaire du texte

3 **Jean Valjean voit des ailes venir à Cosette. Lis le texte en choisissant chaque fois la préposition qui convient.**

Jean Valjean éprouvait un profond et indéfinissable serrement de cœur. C'est qu'en effet, depuis quelque temps, il contemplait ☐ *dans la* ☐ *avec* terreur cette beauté qui apparaissait chaque jour plus rayonnante ☐ *sur* ☐ *dans* le doux visage de Cosette. Aube riante ☐ *pour* ☐ *de* tous, lugubre ☐ *pour* ☐ *avec* lui. Cosette avait été belle assez longtemps ☐ *avant* ☐ *sans* de s'en apercevoir. Mais, du premier jour, cette lumière inattendue qui se levait lentement et enveloppait ☐ *avec* ☐ *par* degrés toute la personne de la jeune fille blessa la paupière sombre de Jean Valjean. Il sentit que c'était un changement ☐ *dans* ☐ *pour* une vie heureuse, si heureuse qu'il n'osait y remuer ☐ *sans* ☐ *dans* la crainte d'y déranger quelque chose. Cet homme qui avait passé ☐ *par* ☐ *dans* toutes les détresses, qui était encore tout saignant des meurtrissures de sa destinée, qui avait été presque méchant et qui était devenu presque saint, qui, ☐ *après* ☐ *pendant* avoir traîné la chaîne du bagne, traînait maintenant la chaîne invisible, mais pesante, de l'infamie indéfinie, cet homme que la loi n'avait pas lâché et qui pouvait être ☐ *à* ☐ *de* chaque instant ressaisi et ramené ☐ *de* ☐ *pour* l'obscurité ☐ *de* ☐ *par* sa vertu ☐ *au* ☐ *du* grand jour ☐ *du* ☐ *de* l'opprobre public, cet homme acceptait tout, excusait tout, pardonnait tout, bénissait tout, voulait bien tout, et ne demandait ☐ *à* ☐ *de* la providence, ☐ *aux* ☐ *des* hommes, ☐ *aux* ☐ *des* lois, ☐ *à* ☐ *de* la société, ☐ *à* ☐ *de* la nature, ☐ *au* ☐ *du* monde, qu'une chose, que Cosette l'aimât ! Tout ce qui pouvait effleurer cette situation, ne fût-ce qu' ☐ *à* ☐ *sur* la •••

surface, le faisait frémir comme le commencement d'autre chose. Cette beauté qui s'épanouissait de plus en plus triomphante et superbe ☐ *à côté de* ☐ *avec* lui, ☐ *sous* ☐ *derrière* ses yeux, ☐ *sur* ☐ *autour* le front ingénu et redoutable de l'enfant, du fond de sa laideur, de sa vieillesse, de sa misère, de sa réprobation, de son accablement, il la regardait effaré. Il se disait : « Comme elle est belle ! Qu'est-ce que je vais devenir, moi ? »

4 **Complète la grille en t'aidant des définitions, puis place correctement les mots dans le texte en les accordant s'il y a lieu. Attention, les définitions sont tirées du contexte dans lequel les mots sont insérés.**

	A	B	C	D	E	F	G	H	I	J	K	L
1	I	M	M					■		F		
2			D	O	U							■
3	P	R		F			D		E		X	
4	I		B	R			M	I	N			
5			S	I					U	R	E	
6			■		É	T					E	S
7		N		E			E	R		L		
8	Ï	■	G	É	N	É						
9	M				R	I	E	U	X			
10	■	I	N					I	E	Â		
11	C			M	E	N	C	E				
12	■	M						N	A	N	T	

HORIZONTALEMENT

A1. illimité.
J1. insensé.
C2. souffrance.
A3. Intense.
H3. organe de la vue.
C4. membre supérieur de l'homme qui va de l'épaule à la main.
G4. instant.
C5. indique l'identité de l'auteur d'une lettre.
E6. bizarre.

D7. complet.
C8. qui a un grand cœur, qui donne sans compter.
A9. incompréhensible, qui ne peut s'expliquer.
B10. embrasement.
A11. début.
J10. Unie au corps, elle constitue l'homme en tant que qu'être pensant.
B12. à présent.

VERTICALEMENT

A4. sans précédent.

B3. flèche de lumière, en parlant du soleil.

J1. incandescence.

K7. pronom tonique masculin.

L6. pronom possessif.

Cosette n'avait jamais rien lu de pareil. Chacune de ces lignes .... resplendissait à ses yeux et lui inondait le cœur d'une lumière .... L'éducation qu'elle avait reçue lui avait parlé toujours de l'............................ et jamais de l'amour. Ce manuscrit de quinze pages lui révélait brusquement et doucement tout l'amour, la ...., la destinée, la vie, l'éternité, le ...., la fin. C'était comme une main qui se serait ouverte et lui aurait jeté subitement une poignée de .... Elle sentait dans ces quelques lignes une nature passionnée, ardente, ..., honnête, une volonté sacrée, une immense douleur et un espoir ...., un cœur serré, une extase épanouie. Qu'était-ce que ce manuscrit ? Une lettre. Lettre sans adresse, sans nom, sans date, sans .... Ces pages, de qui pouvaient-elles venir ? qui pouvait les avoir écrites ? Cosette n'hésita pas une .... Un seul homme. .... ! Le jour s'était refait dans son esprit. Tout avait reparu. Elle éprouvait une joie .... et une angoisse .... C'était lui ! lui qui lui écrivait ! lui qui était là ! lui dont le .... avait passé à travers cette grille ! Pendant qu'elle l'oubliait, il l'avait retrouvée ! Mais est-ce qu'elle l'avait oublié ?

Non ! jamais ! Elle était .... d'avoir cru cela un moment. Elle l'avait toujours aimé, toujours adoré. Le .... s'était couvert et avait couvé quelque temps, mais, elle le voyait bien, il n'avait fait que creuser plus avant, et .... il éclatait de nouveau et l'embrasait toute .... Cette lettre était comme une flammèche tombée de cette autre âme dans la .... Elle sentait recommencer l' .... Elle se pénétrait de chaque mot du manuscrit. « Oh oui ! disait-elle, « comme je reconnais tout cela ! C'est tout ce que j'avais déjà lu dans ses .... »

Chapitre 8

Amour et Révolution

Marius sortit du jardin en courant et s'enfonça dans la nuit. Puisque Cosette ne l'avait pas attendu, puisqu'elle ne reviendrait plus, la mort seule pouvait mettre fin à l'insupportable douleur de ne plus la voir. Et s'il fallait mourir, autant que ce soit pour une noble cause, entouré de ses amis. Le roi avait envoyé la troupe pour mater la révolte. Dans le quartier des halles, deux barricades avaient été dressées, défendues par une centaine d'hommes. Plus un enfant, Gavroche. Lorsque Marius arriva rue de la Chanvrerie, il croisa* précisément le gamin qui regagnait sa barricade, un panier plein de munitions à la main :

– Qu'est-ce que tu fais là, toi ?

– La Révolution, Citoyen ! lui dit l'enfant en lui montrant l'intérieur de son panier.

– Tu es trop jeune, rentre chez toi !

– C'est ce que je lui ai dit aussi, s'exclama Coufeyrac en apercevant Marius, mais ce maudit mioche* ne veut rien entendre.

– Chez moi ? Mais c'est dehors, chez moi ! Vous me faites rire vous deux, où voulez-vous que j'aille ?

Les soldats, alignés au bout de la rue attendaient un ordre. Ils avaient chargé une première fois, mais leur assaut avait été repoussé. Une vingtaine de morts gisaient çà et là, leurs gibernes remplies de cartouches. Gavroche allait de l'un à l'autre prélevant chaque fois

croisa rencontra sur son chemin.
mioche (*arg.*) enfant.

les précieuses munitions. En voyant ces morts Marius frémit.

– Je vois que tu as un pistolet, dit Coufeyrac en indiquant l'arme de Javert à la ceinture de Marius, tu en auras besoin.

– Et les autres quartiers, les faubourgs* ? demanda Marius.

– Mauvaise nouvelle, mon ami, le peuple nous lâche. Nous sommes les seuls à résister encore. Mais pour combien de temps ? Viens, ajouta Coufeyrac, les autres seront contents de te revoir.

Dans l'arrière-salle du café Musain, transformée en infirmerie, Marius remarqua parmi les blessés un homme couché sur une table, pieds et mains liés. Il interrogea Enjolras du regard.

– Ah, celui-là c'est un mouchard, un inspecteur de la sûreté. C'est Gavroche qui l'a démasqué*. Nous l'avons condamné à mort.

L'homme tourna la tête vers eux. Marius reconnut le visage inexpressif et froid de Javert.

– Qu'attendez-vous pour me tuer ? Je suis prêt.

– Tes amis soldats vont charger, je n'ai plus que vingt-sept hommes. Donne-nous le temps de les repousser, ton tour viendra.

– Laissez-le-moi, dit une voix derrière eux, je m'en occupe. J'ai un vieux compte à régler avec cet homme.

Ils se retournèrent, c'était Jean Valjean.

– D'où sort-il, celui-là ? dit Enjolras, méfiant.

– Laisse, je le connais, dit Marius stupéfait.

– Erreur, mon garçon, ce n'est pas moi que tu connais, c'est ma fille.

– Cet homme a raison, dit Javert, très calme, je suis le seul ici à connaître cet individu. Et depuis si longtemps que je vous prie de l'autoriser à m'assassiner.

– Nous ne sommes pas des assassins ! cria Enjolras. Nous t'avons condamné à être exécuté, pas à être assassiné.

faubourgs quartiers périphériques d'une ville.
démasqué dévoilé sa véritable identité.

– Laissez-moi m'en occuper, dit Jean Valjean, ce sera vite fait.

– Et Cosette ? demanda Marius, complètement dépassé par les événements*.

– Elle va bien, sois tranquille, elle t'attend.

– Comment avez-vous su ?

– Ça, mon garçon, c'est mon affaire. Donne-moi ton pistolet et sortez tous, je veux rester seul avec le condamné.

– À ce que je vois, c'est une affaire de famille, dit Enjolras… Viens Marius, tu m'expliqueras tout ça sur la barricade.

Comment Jean Valjean avait-il su ? La réponse était simple : Jean Valjean n'avait pas quitté Paris. Le matin, il avait surpris sa fille en conversation avec Éponine devant la grille du jardin. Elles ne l'avaient pas vu ; il n'avait rien dit, mais il avait immédiatement fait venir une voiture de déménagement. Remettant les explications à plus tard, il avait décidé de précipiter son départ : Cosette et lui passeraient la nuit dans un appartement qu'il avait loué par précaution* après le guet-apens manqué des Thénardier. L'après-midi, pendant qu'il chargeait leurs dernières malles dans la voiture, il vit Cosette, une lettre à la main, se diriger à nouveau vers le fond du jardin. Éponine était revenue devant la grille. Jean Valjean attendit d'être arrivé à sa nouvelle adresse pour faire parler sa fille.

– Que faisais-tu avec elle ce matin ?

– Je lui ai donné cinq francs. Elle est passée plusieurs fois devant la maison le mois dernier. Elle m'a reconnue, nous avons parlé.

– Comment s'est-elle procuré notre adresse ?

– Je l'ignore, père.

– Et plus tard cette lettre, Cosette, pour qui était-elle ?

– C'est un secret.

dépassé par les événements (*fam.*) être incapable de dominer la situation.
par précaution par prudence.

Pour la première fois depuis qu'ils vivaient ensemble Jean Valjean s'emporta.

– Il faut tout me dire, ma fille, tout, tu m'entends ?

– Je l'aime, père, dit Cosette en sanglotant*.

– Qui ?

– Marius.

– Qui ? !

Abasourdi, Jean Valjean venait de découvrir une Cosette qu'il ne connaissait pas. Il se demandait où, quand elle avait pu rencontrer un homme, lui parler, le voir sans qu'il le sache. Il était resté debout devant son enfant, les bras ballants*, vidé de toutes ses forces. Cette révélation lui avait fait l'effet d'un coup de poing en plein visage. Comment avait-elle pu aimer un autre que lui ? Parler avec un autre que lui, rire avec un autre que lui ? Soudain, il comprit. Il comprit que Cosette avait grandi, qu'elle n'était plus la petite fille qu'il avait arrachée aux Thénardier. Il la regardait sangloter, et c'était comme s'il la voyait pour la première fois.

– Oh, mon père, j'ai si peur qu'il lui arrive malheur ! Nous devions nous voir ce soir. Dans ma lettre, je lui donnais notre nouvelle adresse. Si elle n'arrive pas à temps… Tous ses amis sont sur la barricade de la rue de la Chanvrerie. S'il se fait tuer, j'en mourrai de chagrin.

Jean Valjean comprit qu'il n'avait pas le choix. L'amour de sa fille pour un autre que lui l'avait rendu fou de jalousie, son désespoir à présent le rendait fou de douleur. Il avait enfermé Cosette dans sa chambre et s'était précipité rue de la Chanvrerie.

Quand les insurgés furent tous sortis, Jean Valjean prit son couteau et coupa les cordes qui immobilisaient le prisonnier sur la table. Puis il lui dit :

---

en sanglotant en pleurant bruyamment.
les bras ballants les bras pendants le long du corps.

– Vous êtes libre.

Javert n'était pas facile à étonner. Cependant, tout maître qu'il était de lui, il ne put se soustraire à* une commotion. Il resta béant et immobile.

– Allez, dit Jean Valjean. Je ne crois pas que je sorte d'ici, ajouta-t-il. Pourtant, si, par hasard, j'en sortais, je demeure, sous le nom de Fauchelevent, rue de l'Homme-Armé, numéro sept.

Javert fronça les sourcils et murmura entre ses dents :

– Prends garde.

– Allez, dit Jean Valjean.

– Tu as dit Fauchelevent, rue de l'Homme-Armé ?

– Numéro sept.

Javert reboutonna sa redingote, fit demi-tour, et se mit à marcher dans la direction des halles. Jean Valjean le suivait des yeux. Après quelques pas, Javert se retourna, et lui cria:

– Vous m'ennuyez. Tuez-moi plutôt.

Javert était si troublé qu'il ne s'apercevait même pas qu'il ne tutoyait plus Jean Valjean.

– Allez-vous-en, dit Jean Valjean.

Quand Javert eut disparu, il déchargea le pistolet en l'air. Personne n'entendit son coup de feu. Dehors la bataille faisait rage. Les soldats avaient ouvert le feu une première fois pour viser Gavroche qui les narguait du haut de la barricade. Le gamin, touché en plein cœur s'était effondré dans les bras d'Éponine. Sa sœur avait suivi Marius à son insu*. En prenant la lettre de Cosette, une idée lui avait traversé l'esprit : elle garderait cette lettre, attendrait Marius à la place de Cosette et l'attirerait sur la barricade où elle avait vu ses amis. Elle

se soustraire à éviter d'avoir.
à son insu sans qu'il s'en aperçoive.

comptait sur le désespoir du jeune homme quand il ne trouverait pas Cosette. Si monsieur Marius ne voulait pas d'elle, tant pis, mais personne d'autre ne l'aurait. Elle s'était d'abord cachée, attendant l'assaut final pour se jeter dans ses bras au dernier moment et mourir avec lui, mais en voyant son jeune frère braver* la troupe, elle n'avait pu s'empêcher d'aller là haut le chercher. À l'autre bout de la barricade, Marius s'était précipité en même temps qu'elle.

– Toi ! Que fais-tu ici ? lui dit-il.

Éponine ne répondit pas. Elle avait vu les soldats pointer une seconde fois leurs fusils, ils allaient tirer. Quand elle comprit que l'un deux visait Marius, elle se jeta devant lui et prit en pleine poitrine la balle qui lui était destinée. Marius passa le corps de Gavroche à un camarade et descendit de l'autre côté de la barricade en tenant Éponine par la taille. Il l'étendit sur le pavé et s'assit près d'elle :

– Vous allez tous mourir, vous aussi Monsieur Marius ! C'est ce que je voulais. Pourtant, quand j'ai vu qu'on vous visait, je me suis mise devant. Comme c'est drôle ! Mais c'est que je voulais mourir avant vous. Tenez, je n'en ai plus besoin.

Et elle lui tendit la lettre de Cosette.

– Une lettre ? De qui ?

Éponine ne put répondre, elle venait d'expirer.

– Ne restons pas là, vous n'avez plus aucune chance, ils ont amené un canon. Dans un instant ce sera l'enfer ici.

C'était Jean Valjean. Marius, en état de choc, serrait la lettre dans sa main. Au même moment un coup de canon fit voler en éclats tous les carreaux* de la rue. La barricade explosa comme un château de cartes. Marius, touché à la tête par un débris, s'effondra dans les bras de Jean Valjean.

braver défier, narguer.
carreaux vitres.

– Apportez mon cadavre chez monsieur Gillenormand, rue des Filles- du-Calvaire, murmura-t-il.

Puis il perdit connaissance. Jean Valjean prit la lettre, chargea Marius sur son dos et s'enfuit en courant au milieu des morts et des blessés.

Le quartier était bouclé*, des patrouilles arrêtaient les survivants, ceux qui résistaient étaient passés par les armes. Une seule issue s'offrait à Jean Valjean, elle était sous ses pieds. Personne n'aurait l'idée de venir le chercher dans les égouts, dans ce cloaque immonde et nauséabond où se déversaient toutes les eaux usées de Paris. Il s'arrêta devant la première plaque qu'il trouva et descendit l'échelle de fer. En bas, Marius toujours sur ses épaules, il se mit en marche. Il n'y avait pas une minute à perdre, les soldats pouvaient descendre eux aussi dans le souterrain et le fouiller. L'air libre était au bout du tunnel, il le savait ; pour sortir, il lui suffisait de suivre la direction de l'eau. Celle des rats aussi qui s'enfuyaient à son passage. « Tout ce petit monde va vers la Seine » se disait-il en marchant. Si Jean Valjean avait vu juste quant à la direction, il n'avait pas songé à la grille qui fermait l'entrée des égouts. Lorsqu'il y arriva, il faisait presque jour, on entrevoyait la Seine à une centaine de mètres à peine.

– Halte ! Qui va là ?

– Jean Valjean se retourna et sursauta en voyant l'homme qui s'avançait vers lui, un couteau à la main : Thénardier !

– Tu ne t'attendais pas à me voir ici, hein, canaille ! Ça fait un bail* que je te suis. Même de dos, je t'ai reconnu. C'est que j'ai toujours su que nous étions du même monde tous les deux. Enfin, moi je n'ai encore tué personne. Toi, je vois que ça ne te fait pas peur. Enfin, c'est ton affaire.

bouclé encerclé.
ça fait un bail il y a longtemps.

Jean Valjean le regardait en silence.

– Tu veux sortir ? Ce n'est pas compliqué, j'ai la clé. Mais c'est donnant donnant* : pour ouvrir, il faut payer. Tu vois, c'est tout simple. Au fait, tu m'as bien eu avec ta redingote jaune et ton costume de philanthrope. En prison, on en apprend des choses ! … Au bagne aussi, d'ailleurs. Ça te dit quelque chose le bagne ?

Jean Valjean l'écoutait en silence.

– Inutile de jouer les grands seigneurs avec moi, tu es Jean Valjean ! Ex-bagnard, ex-manufacturier, ex-maire de Montreuil, ex tout. Dans ton genre, tu es une célébrité. Allons, vite, on passe à la caisse !

Jean Valjean prit un billet de cent francs de la doublure de sa redingote et le tendit à Thénardier.

– Tu lui as déjà fait les poches à ton macchabée*, hein, vieux bandit ? Va, tu es libre ! Et reviens me voir si tu as encore des clients comme lui. Tu connais le chemin !

Jean Valjean passa devant Thénardier qui lui avait ouvert la grille sans lui dire un mot, sans le regarder. Une fois dehors, il longea la Seine tant qu'il put, en rasant les murs des berges. Marius respirait encore, mais très faiblement. Au bout d'une demi-heure, il dut cependant se résoudre à entrer dans Paris ; avec son blessé sur le dos et les événements de la nuit c'était risqué, mais il n'avait pas le choix. Un attroupement s'était formé à hauteur du Pont au Change. On venait juste de repêcher le corps d'un homme. De loin, il avait entendu deux voix se répondre à distance :

– Un noyé, Monsieur le préfet ! Je crois que c'est l'inspecteur Javert !

– Un crime ?

– Un suicide, plus probablement.

La première surprise passée, Jean Valjean fut profondément

---

donnant donnant donner quelque chose en échange d'une autre chose.
macchabée (*arg.*) cadavre.

affecté par cette mort, Javert était sa mémoire, en disparaissant il effaçait d'un coup quarante années de son existence, toute une vie. Pourquoi l'irréprochable inspecteur s'était-il donné la mort ? Il n'avait tout simplement pas supporté l'idée d'avoir été sauvé par un homme qui avait mille bonnes raisons de le tuer. À sa place, lui, il n'aurait pas hésité. L'édifice de ses certitudes en avait été ébranlé*, et il avait préféré mourir plutôt que de continuer à poursuivre un criminel qui ne l'était peut-être pas, ou plus. L'ancien forçat, quant à lui, n'imaginait pas qu'en laissant la vie sauve à son vieil ennemi, il l'avait involontairement condamné à mort.

Lorsqu'il arriva à l'adresse indiquée par Marius, Jean Valjean déposa le jeune homme devant la porte d'entrée, sonna le domestique et s'en alla comme il était venu.

Marius resta plusieurs jours entre la vie et la mort, au grand désespoir de son grand-père. Lorsqu'il ouvrit finalement les yeux, Cosette était assise à côté de lui :

– Chut ! ne parle pas mon amour, le médecin a dit qu'on ne doit pas te fatiguer. Écoute plutôt : tout est arrangé, mon père et ton grand-père ont donné leur consentement. Dès que tu seras rétabli*, nous nous marierons.

Marius regarda autour du lit. Cosette lui souriait en lui tenant la main, son grand-père lui souriait, le père de Cosette lui souriait, le médecin lui souriait.

– Pourquoi suis-je ici, qui m'a ramené ? demanda-t-il.

– Un inconnu, lui répondit son grand-père, nous n'avons pas eu le temps de voir son visage, ni même de le remercier.

Marius ferma vite les yeux de peur de se réveiller, tout cela était trop beau pour être vrai. Il se rendormit pour continuer son rêve. Et rencontrer peut-être celui qui lui avait sauvé la vie.

ébranlé profondément secoué.
rétabli guéri.

Production écrite

1 Indique le rôle de chacun des personnages derrière la barricade de la rue de Chanvrerie ; pourquoi sont-ils là, que leur arrive-t-il ?

Marius ....

....

Éponine ....

....

Gavroche ....

....

Javert ....

....

Jean Valjean ....

....

Grammaire du texte

2 Produire et répartir. Récris le passage entre crochets au subjonctif (Il faut que ...)

Tous les problèmes que les socialistes se proposaient peuvent être ramenés à deux problèmes principaux. Premier problème : Produire la richesse. Deuxième problème : La répartir. Le premier problème contient la question du travail. Le deuxième contient la question du salaire. De ces deux choses combinées, puissance publique au dehors, bonheur individuel au dedans, résulte la prospérité sociale. Prospérité sociale, cela veut dire l'homme heureux, le citoyen libre, la nation grande. Le communisme et la loi agraire croient résoudre le deuxième problème. Ils se trompent. Leur répartition tue la production. Le partage égal abolit l'émulation ; et par conséquent le travail. C'est une répartition faite par le boucher, qui tue ce qu'il partage. Il est donc impossible de s'arrêter à ces prétendues solutions. Tuer la richesse, ce n'est pas la répartir. [Les deux problèmes **doivent être** résolus ensemble pour **être** bien résolus ⟶ *Il faut que les deux problèmes* **soient résolus** *ensemble pour qu'ils* **soient** *bien* **résolus** . Les deux solutions **doivent** être combinées et n'en **faire** qu'une ➞ .... **Résolvez** ➞ .... les deux problèmes, **encouragez** ➞ .... le riche et **protégez** ➞ .... le pauvre, **supprimez** ➞ .... la misère, **mettez** ➞ .... un terme à l'exploitation injuste du faible par le fort, **mettez** ➞ .... un frein à la jalousie inique de celui qui est en route contre celui qui est arrivé, **ajustez** ➞ .... mathématiquement et fraternellement le salaire au travail, **mêlez** ➞ .... l'enseignement gratuit et obligatoire à la croissance de l'enfance et **faites** ➞ .... de la science la base de la virilité, **développez** ➞ .... les intelligences tout en occupant les bras, **soyez** ➞ .... à la fois un peuple puissant et une famille d'hommes heureux, **démocratisez** ➞ .... la propriété, non en l'abolissant, mais en l'universalisant, de façon que tout citoyen sans exception soit propriétaire ; en deux mots, **sachez** ➞ .... produire la richesse et **sachez** ➞ .... la répartir, et vous aurez tout ensemble la grandeur matérielle et la grandeur morale ; et vous serez dignes de vous appeler la France.

Vocabulaire et compréhension

3 **Relie les débuts de phrases numérotées de 1 à 26 à leur suite logique (A-Z).**

1 ☐ Javert s'était éloigné
2 ☐ Il s'enfonça dans les rues silencieuses
3 ☐ Il marchait tête baissée,
4 ☐ Une nouveauté, une révolution, une catastrophe
5 ☐ Il se sentait vidé, inutile, disloqué
6 ☐ Tout ce qu'il avait cru
7 ☐ Des vérités dont il ne voulait pas
8 ☐ Un forçat était
9 ☐ Devoir la vie à cet homme
10 ☐ Que faire
11 ☐ Continuer de donner la chasse à celui qui lui avait sauvé la vie, c'était mal ;
12 ☐ Jusqu'à présent, il n'avait vécu que de certitudes,
13 ☐ Ce forçat, ce désespéré, qu'il avait poursuivi jusqu'à le persécuter, et qui aurait dû normalement se venger,   •••

14 ☐ Qu'avait-il fait ?

15 ☐ Non, quelque chose

16 ☐ Il y avait donc quelque chose

17 ☐ Javert n'avait jamais connu que la police, et les ordres de ses supérieurs,

18 ☐ Mais comment s'y prendre

19 ☐ Perdu dans ses pensées, Javert arriva près du Pont au Change

20 ☐ Les quais

21 ☐ L'eau en bas tourbillonnait

22 ☐ Tout était

23 ☐ Javert demeura quelques minutes

24 ☐ Tout à coup, il ôta son chapeau

25 ☐ Un moment après, une figure haute et noire apparut debout sur le parapet,

26 ☐ il y eut un clapotement sourd,

A maintenant ?

B de sa vie passée, destitué, dissous.

C immobile.

D et l'ombre seule fut dans le secret des convulsions de cette forme obscure disparue sous l'eau.

E de plus que le devoir.

F il venait de découvrir un nouveau chef, Dieu.

G lui avait au contraire laissé la vie.

H l'obsédaient inexorablement.

I en direction de la Seine.

J il venait de constater que l'infaillibilité n'est pas infaillible.

K son bienfaiteur !

L étaient déserts.

M son devoir.

N de plus.

O le laisser libre, c'était mal : quoi qu'il fît, Javert ne pouvait qu'en sortir déshonoré.

P et le posa sur le rebord du quai.

Q le remplissait d'angoisse.

R et appuya ses deux coudes sur le parapet à pic au-dessus de la Seine.

S à pas lents de la barricade.

T pour donner sa démission à Dieu ?

U noir.

V venait de se passer au fond de lui-même.

W se dissipait.

X se courba vers la Seine, puis se redressa, et tomba droite dans les ténèbres;

Y les mains derrière le dos.

Z comme une vis sans fin.

4 **Choisis chaque fois le verbe qui convient.**

Le ☐ *domestique* ☐ *serveur* de monsieur Gillenormand a ☐ *transporté* ☐ *supporté* Marius sur un canapé ; puis, il a ☐ *envoyé* ☐ *renvoyé* le portier chercher un médecin. Au moment où le médecin ☐ *essuyait* ☐ *essayait* le front de Marius et ☐ *touchait* ☐ *tâtait* légèrement du doigt les yeux toujours fermés, une porte s'ouvrit au fond du salon, et une longue figure pâle ☐ *apparut* ☐ *comparut*. C'était le grand-père. Il ☐ *aperçut* ☐ *perçut* sur le canapé ce jeune homme sanglant, nu jusqu'à la taille.

– Marius !

– Monsieur, dit le domestique, quelqu'un l'a ☐ *rapporté* ☐ *déporté* ici. Il est allé à la barricade, et...

– Il est mort ? cria le vieillard d'une voix terrible. En ce moment, Marius ☐ *ouvrit* ☐ *découvrit* lentement les paupières, et son regard, ☐ *s'arrêta* ☐ *se ferma* sur monsieur Gillenormand.

– Marius ! cria le vieillard. Marius ! mon petit Marius ! mon enfant ! mon fils bien-aimé ! Tu ouvres les yeux, tu me regardes, tu es vivant, merci !

ACTIVITÉ DE PRÉ-LECTURE

Production écrite

5 **Que vont devenir Cosette et Marius, monsieur Gillenormand, les Thénardier, Jean Valjean ? Imagine un dénouement possible.**

Chapitre 9

Épilogue

▶ 5 Le mariage de Cosette et de Marius eut lieu le 16 février 1833,
pendant les fêtes du Carnaval. La veille, Jean Valjean avait remis à
Marius, en présence de monsieur Gillenormand, cinq cent quatre-
vingt-quatre mille francs, tout ce qu'il possédait. Il était allé quelques
jours auparavant dans le bois de Montfermeil, non loin de l'endroit
où il avait rencontré Cosette pour la première fois, et avait déterré*
ses chandeliers et les liasses de billets de banque qu'il avait emportés
en quittant Montreuil. Les seize mille francs qui manquaient aux six
cent mille qui se trouvaient dans le coffre de sa fabrique avaient servi
aux dépenses de leur vie commune pendant les dix ans que Cosette et
lui avaient vécu ensemble. Il fit passer cet argent pour un héritage fait
à Cosette par une personne morte qui désirait rester inconnue.

En arrivant à l'église, la noce fut accueillie par un groupe de femmes
et d'hommes masqués qui se mirent à chahuter* gentiment les
mariés. Les Thénardier, père, mère et fille s'étaient glissés dans
l'attroupement. Les cent francs de Jean Valjean n'avaient pas fait
long feu et ils avaient repris leurs vieilles habitudes, délestant çà et là
une montre, une bourse, un portefeuille. Le carnaval était la saison
idéale pour les opérations de ce genre, ils allaient tous trois masqués.
Lorsque la Thénardier vit Cosette au bras de Jean Valjean, elle faillit

déterré sorti de terre.
chahuter perturber le déroulement normal d'une cérémonie par des interventions tapageuses.

s'étrangler. Son mari, au contraire, fut épaté*. Décidément ce vieux filou de Jean Valjean avait plus d'un tour dans son sac* ! Fidèle à son habitude, il évalua la noce, lorgna les bijoux, les fleurs, les carrosses, compta les invités, chiffra le tout et dit :

– Attendons qu'ils soient tous à l'intérieur de l'église, il me reste quelques pièces, c'est bien le diable si un cocher ne me donne pas leur adresse. Ah ! Il m'a bien eu avec ses cent francs le vieux bandit, mais cette fois, je te promets qu'il va m'en aligner des billets !

Lorsque les jeunes mariés rentrèrent chez eux, suivis de toute la noce, les Thénardier les attendaient rue des Filles-du-Calvaire. La Thénardier, folle de rage, voulait que son mari aille là haut faire un scandale, tout de suite. La famille du marié ne serait pas fâchée d'apprendre qui était en réalité leur belle-fille. Elle jubilait à l'idée de lui gâcher la fête à cette souillon de Cosette. Mais Thénardier la fit taire, il n'avait pas intérêt à faire du scandale, avec ses créanciers encore aux trousses, son évasion et la police qui le recherchait, il valait mieux agir dans l'ombre. Et puis, il avait son idée : vendre très cher son silence et partir, loin, très loin, en Amérique. « Attendons ! » dit-il à sa femme. « Sois tranquille, il ne nous échappera plus. »

Pendant ce temps, chez les Gillenormand, un domestique annonçait que le dîner était servi. Les convives entrèrent dans la salle à manger et s'assirent autour de la table. La chaise de monsieur Fauchelevent resta vide. Jean Valjean était parti. Il faisait dire qu'il était souffrant et qu'il viendrait le lendemain. Cosette, fut d'abord triste de cette absence, mais comme tout le monde riait et que son mari était près d'elle, elle finit par en être contente. Au reste, elle avait appris quelques jours avant son mariage qu'elle n'était pas la fille de ce vieil homme qu'elle

---

épaté vivement et positivement étonné.
avait plus d'un tour dans son sac était rusé, savait très bien se tirer d'affaires.

avait si longtemps appelé père. Ce n'était qu'un parent, un autre
Fauchelevent était son véritable père. Ultime Fauchelevent s'était fait
passer pour son tuteur. Elle continua pourtant de dire à Jean Valjean :
Père, et tint à ce qu'il y ait dans la maison Gillenormand, où les jeunes
mariés allaient habiter, une chambre meublée exprès pour lui.

Toute la nuit les chandeliers de l'évêque restèrent allumés dans
la chambre. Jean Valjean veillait. Au matin, il se leva de son fauteuil,
descendit en étage, et demanda à voir Marius.

— Monsieur, lui dit brutalement Jean Valjean, j'ai une chose à vous
dire. Je suis un ancien forçat.

Marius, mal réveillé*, bégaya :

— Qu'est-ce que cela veut dire ?

— Cela veut dire, répondit Jean Valjean, que j'ai été aux galères.

— Si c'est une plaisanterie de Carnaval, Monsieur, je ne la trouve
pas drôle.

— Monsieur Pontmercy, dit Jean Valjean, j'ai été dix-neuf ans aux
galères. Pour vol. Puis j'ai été condamné à perpétuité. Pour vol. Pour
récidive.

— Vous me rendez fou ! s'écria Marius épouvanté. Vous ! L'oncle
de Cosette !

— Rassurez-vous, je ne suis ni son père ni son oncle. Elle était
orpheline. Sans père ni mère. Elle avait besoin de moi. Voilà pourquoi
je me suis mis à l'aimer. Désormais je ne suis plus rien pour elle. Elle
est madame Pontmercy. Quant à sa dot, soyez sans crainte, cet argent
a été honnêtement gagné, je n'ai pas à en rougir.

— Mais pourquoi me dites-vous tout cela, aujourd'hui, maintenant ?
Qui vous force* ?

— Je pouvais mentir, c'est vrai, vous tromper tous, rester monsieur

mal réveillé qui vient juste de se réveiller ; ensommeillé.
qui vous force qui vous oblige ?

Fauchelevent. Tant que cela a été pour elle, j'ai pu mentir ; mais maintenant ce serait pour moi, je ne le dois pas. Vous me demandez ce qui me force à parler ? Une drôle de chose, ma conscience.

Marius regarda cet homme. Il était lugubre et tranquille. Aucun mensonge ne pouvait sortir d'un tel calme.

– Avez-vous songé aux conséquences ? lui demanda-t-il alors. Je ne puis plus vous recevoir chez moi, vous comprenez, n'est-ce pas ?

– Je ne verrai plus Cosette ? murmura Jean Valjean. Que lui direz-vous pour expliquer mon absence ?

– Que vos affaires vous ont appelé à l'étranger.

– Sans être venu lui dire au revoir ?

– Je ne vois pas d'autre solution, Monsieur. Après ce que vous venez de m'apprendre… En revanche*, je vous promets que je ne révélerai jamais votre véritable identité à mon épouse ; avec le temps, elle finira par vous oublier. Le plus tôt sera le mieux.

Jean Valjean en fut bouleversé. Marius ne l'était pas moins. Il venait de voir défiler en quelques instants deux années de sa vie : le Jardin du Luxembourg, Cosette, celui qu'il avait pris pour son père, la masure Gorbeau, le guet-apens, l'étrange disparition de la victime présumée. Les mots de Javert la nuit des barricades lui revinrent à l'esprit. Décidément, l'homme ne mentait pas et il devait se rendre à l'évidence : Cosette avait vécu avec un forçat. Qui était-elle, elle-même ? Terrible question que Marius n'osait se poser sans trembler. Aussi, en éloignant Jean Valjean, faisait-il ce qu'il jugeait nécessaire et juste, mais en même temps il se rassurait. Certes, interdire l'accès de sa maison à cet homme lui répugnait*, après tout il avait élevé sa femme, tout ce qui lui avait plu en elle, c'est à lui qu'il le devait. Mais l'idée d'avoir affaire à un forçat lui répugnait plus encore.

en revanche par contre.
lui répugnait ne lui plaisait pas du tout.

– Adieu, dit Marius. Pourrais-je savoir pour quel vol vous avez été condamné ?

– Un pain.

Jean Valjean salua et quitta la pièce sans se retourner.

Les jours passèrent, puis les semaines. Puis les mois. Cosette fut triste les premiers temps, mais pour ne pas faire de peine à Marius, elle ne lui fit pas voir son chagrin*. Au reste, sa nouvelle vie l'accaparait : les relations que crée le mariage, les visites, le soin de la maison… Peu à peu, elle finit par trouver cette absence normale. « C'est dans l'ordre des choses » se disait-elle. Et puis, il y avait Marius : être avec lui, sortir avec lui, rester avec lui, c'était là la grande occupation de sa vie. Lorsqu'il lui arrivait de penser à Jean Valjean, elle sentait qu'elle l'aimait toujours bien, mais elle se demandait aussi qui il était : son père ? Un oncle ? Monsieur Fauchelevent ?

Un soir, Marius était au salon lorsqu'un domestique entra et lui annonça qu'un certain monsieur Thénard, ancien diplomate, attendait dans l'antichambre.

– À cette heure-ci ? dit Marius.

Le domestique ajouta :

– Il m'a dit qu'il s'agit d'une affaire de la plus haute importance.

– Faites entrer.

Un vieil homme vêtu de noir, le menton dans la cravate, et de grosses lunettes devant les yeux s'avança vers Marius. Lui !

– Vous avez beau vous cacher derrière votre nom raccourci et votre costume ridicule, Thénardier, je vous ai reconnu, lança-t-il à l'individu en guise d'accueil. Que me voulez-vous ?

Thénardier ne s'attendait pas à être démasqué, il bredouilla* des phrases incompréhensibles, que l'égoïsme était la loi du monde, que

chagrin peine, profonde tristesse.
bredouilla parla vite et sans articuler ses mots.

c'était chacun pour soi, que le chien du pauvre aboie après le riche
et vice versa, bref, qu'il voulait partir s'installer en Amérique avec sa
femme et sa fille, que le voyage était long et cher, et qu'il lui fallait un
peu d'argent.

– En quoi cela me regarde-t-il ? demanda Marius.

– J'ai un secret à vous vendre. Écoutez, je commence gratis.

Et Thénardier raconta à Marius ce que Jean Valjean lui avait révélé
lui-même le lendemain de son mariage. Il y ajouta la manufacture de
Montreuil, le procès d'Arras, la fuite à Paris. Il évita soigneusement
de parler de Cosette, étant lui-même impliqué dans cette affaire, cela
aurait pu nuire à ses intérêts.

– Je sais tout cela, Thénardier, vous perdez votre temps.

– Savez-vous aussi qu'il a commis un assassinat ?

– Ah! Javert. Vous vous trompez Thénardier, Jean Valjean n'a pas
pu l'exécuter puisque celui-ci s'est suicidé*, la nouvelle est rapportée
par le Moniteur du 15 juin de l'année dernière.

– Vous faites fausse route, Monsieur le baron. Qui vous parle de
ce mouchard ? Écoutez : la nuit du 5 juin 1832, j'étais dans les égouts.
Pourquoi ? C'est mon affaire. Disons que je me cachais. Au petit
jour, j'ai vu un homme se présenter devant la grille, il transportait
un cadavre sur le dos. C'était lui, Monsieur le baron, Jean Valjean.
J'avais la clé, il voulait sortir, il m'a proposé de l'argent, j'ai accepté.
Alors je l'ai vu tirer un billet de cent francs de sa poche. Je lui ai ouvert
la grille, et en la refermant j'ai trouvé cette lettre. Cela ne prouve
rien, je sais, mais c'est une pièce à conviction*. Si seulement j'avais pu
trouver la personne qui a écrit ces lignes. Et ce n'est pas faute d'avoir
cherché, croyez-moi !

– Que disait cette lettre ? dit Marius.

s'est suicidé s'est donné la mort.
pièce à conviction objet pouvant servir de preuve.

– Rien de spécial, un rendez-vous, mais j'ai les plus fortes raisons de croire que le jeune homme assassiné était un opulent* étranger attiré par Jean Valjean dans un piège et porteur d'une somme énorme, qu'il …

Marius, soudain très pâle, alla ouvrir un tiroir de son secrétaire et en tira des billets de banque.

– Oh ! Je vois que je commence à intéresser monsieur le baron. Alors, écoutez, je vous la lis, cette lettre : « *Mon bien-aimé, hélas ! mon père veut que nous partions tout de suite. Nous serons ce soir rue de l'Homme-Armé, n° 7. Dans huit jours nous serons à Londres.* »

– Malheureux ! s'écria Marius, tu venais perdre cet homme, tu le sauves au contraire.

– Mais Monsieur le baron…

– Tais-toi misérable ! Le jeune homme c'était moi, et cette lettre, c'est ma femme, c'est Cosette qui me l'avait écrite.

Marius fouilla dans sa poche, et marcha, furieux, vers Thénardier, lui présentant et lui appuyant presque sur le visage son poing rempli de billets de cinq cents francs et de mille francs.

– Prenez cet argent, et sortez d'ici ! Waterloo vous protège.

– Waterloo ! grommela Thénardier, en empochant l'argent que Marius lui avait jeté au visage.

– Oui, assassin ! Vous y avez sauvé la vie à un colonel. Et maintenant partez ! Disparaissez !

Thénardier sortit. Ce qui venait de se passer lui échappait totalement. Il était stupéfait et en même temps ravi de ce qui lui était arrivé. Il plongea sa main dans la poche de sa redingote pour s'assurer qu'il n'avait pas rêvé, froissa les billets et descendit les escaliers quatre à quatre* de peur qu'on ne le rappelle.

opulent riche.
quatre à quatre très rapidement.

 VICTOR HUGO

– Cosette ! Cosette ! cria Marius dès que Thénardier fut sorti. Viens ! Viens vite. Partons. Ne perdons pas une minute !

Cosette le crut fou, et obéit. En un instant, un fiacre* fut devant la porte.

– Cocher, dit Marius, rue de l'Homme-Armé, numéro 7.

Le fiacre partit.

– Ah ! quel bonheur ! fit Cosette, rue de l'Homme-Armé. Il est donc de retour. Je n'osais pas t'en parler, mais j'étais inquiète …

Au coup qu'il entendit frapper à sa porte, Jean Valjean se retourna.

– Entrez, dit-il faiblement.

La porte s'ouvrit. Cosette et Marius parurent.

Cosette se précipita dans la chambre.

Marius resta sur le seuil, debout, appuyé contre le montant* de la porte. Puis baissant les paupières pour empêcher ses larmes de couler, il fit un pas et murmura entre ses lèvres contractées convulsivement pour arrêter les sanglots :

– Mon père ! Merci !

Jean Valjean balbutiait :

– Ainsi vous voilà ! Monsieur Pontmercy, vous me pardonnez donc ? Oh ! merci.

À ce mot, tout ce qui se gonflait dans le cœur de Marius trouva une issue, il éclata :

– Cosette, entends-tu ? Il me demande pardon. Lui ! Il m'a sauvé la vie et il me dit : Merci !

Cosette les regardait l'un et l'autre :

– Mais qu'avez-vous ? Marius ? Mon père ?

– Si tu savais ce qu'il a fait pour moi, pour toi, Cosette ! Il a tout supporté, tout enduré.

fiacre voiture à cheval conduite par un cocher.
montant encadrement.

– Chut ! chut ! dit tout bas Jean Valjean. Pourquoi dire tout cela ?

– Mais vous, pourquoi êtes-vous venu vous calomnier* ?

– J'ai dit la vérité, répondit Jean Valjean.

– Non, reprit Marius, la vérité, c'est toute la vérité ; et vous ne l'avez pas dite. Vous étiez monsieur Madeleine, pourquoi ne pas l'avoir dit ? Vous avez sauvé Javert, pourquoi ne pas l'avoir dit ? Je vous dois la vie, pourquoi ne pas l'avoir dit ? Nous vous emmenons. Vous ne passerez pas dans cette affreuse maison un jour de plus.

– Demain, dit Jean Valjean, je ne serai pas ici, mais je ne serai pas chez vous.

– Que voulez-vous dire ? répliqua Marius.

– Je vais mourir. Non, ne dites rien, c'est inutile. Vous étiez si heureux tous les deux, je n'allais pas vous ennuyer avec mes soucis*. À mon âge, on est toujours plus ou moins malade. Mais la preuve que Dieu est bon, c'est que vous êtes là. Tout à l'heure, je t'ai écrit une lettre, Cosette, elle est sur la cheminée. Je te disais que je te lègue mes deux chandeliers. Ils sont en argent ; mais pour moi ils sont en or, ils sont en diamant. Ils ne m'ont jamais quitté. Je ne sais pas si celui qui me les a donnés est content de moi là-haut. J'ai fait ce que j'ai pu. Quant à vous, mes enfants, aimez-vous bien toujours. Il n'y a guère autre chose que cela dans le monde : s'aimer. Et puis pensez un peu à moi. Vous êtes des êtres bénis.

Cosette et Marius tombèrent à genoux, éperdus, étouffés de larmes, chacun sur une des mains de Jean Valjean. Il était renversé en arrière, la lueur des deux chandeliers l'éclairait ; sa face blanche regardait le ciel, il était mort.

---

se calomnier dire du mal de soi-même.
soucis préoccupations.

Production écrite

1 **Qui frappe à la porte de Jean Valjean ? Lis le texte puis rédige une suite dans laquelle le moribond révèle à Cosette ce qu'il n'a jamais eu le courage de lui dire.**

La nuit était venue. Jean Valjean s'était levé à grand peine de son fauteuil et avait posé sur la table une plume, de l'encre et du papier. Puis il s'était assis ; sa respiration était courte et s'arrêtait par instants ; la sueur lui coulait du front. La chaise étant placée devant le miroir, il se vit, et ne se reconnut pas. Il avait quatre-vingts ans ; avant le mariage de Marius, on lui eût à peine donné cinquante ans ; cette année avait compté trente. Ce qu'il avait sur le front, ce n'était plus la ride de l'âge, c'était la marque mystérieuse de la mort. Tout à coup il eut un frisson, il sentit que le froid lui venait ; il s'accouda à la table que les flambeaux de l'évêque éclairaient, et prit la plume. Sa main tremblait. Il écrivit lentement quelques lignes que voici : « *Cosette, je te bénis. Je vais t'expliquer. Ton mari a eu raison de me faire comprendre que je devais m'en aller ; je voudrais tout te dire, mais je n'en aurai sans doute pas le temps. Il faut cependant que tu saches que l'argent de ta dot est bien à toi, ainsi que les deux chandeliers que tu trouveras sur ma table. Monsieur Pontmercy te confirmera que les cinq cent vingt-quatre mille francs que je lui ai remis ont été honnêtement gagnés. Pour cela, il devra se rendre dans la petite ville de Montreuil-sur-Mer, et demander qu'on lui conte l'histoire d'un certain monsieur Madeleine. Il comprendra.* »

Ici Jean Valjean s'interrompit, la plume tomba de ses doigts, il lui vint un de ces sanglots désespérés qui montaient par moments des profondeurs de son être, le pauvre homme prit sa tête dans ses deux mains. « Oh ! » s'écria-t-il au dedans de lui-même (cris lamentables, entendus de Dieu seul), « C'est fini. Je ne la verrai plus. C'est un sourire qui a passé sur moi. Je vais entrer dans la nuit sans même la revoir. Oh ! une minute, un instant, entendre sa voix, toucher sa robe, la regarder, elle, l'ange ! et puis mourir ! Ce n'est rien de mourir, ce qui est affreux, c'est de mourir sans la voir. Elle me sourirait, elle me dirait un mot. Est-ce que cela ferait du mal à quelqu'un ? Non, c'est fini, jamais. Me voilà tout seul. Mon Dieu ! mon Dieu ! je ne la verrai plus. » En ce moment on frappa à sa porte.

2 **La tombe de Jean Valjean lui ressemble, comme elle ressemble à sa vie. Lis le texte puis commente cette affirmation en t'appuyant sur des exemples précis.**

Il y a, au cimetière du Père-Lachaise, aux environs de la fosse commune, loin du quartier élégant de cette ville des sépulcres, loin de tous ces tombeaux de fantaisie qui étalent en présence de l'éternité les hideuses modes de la mort, dans un angle désert, le long d'un vieux mur, sous un grand if auquel grimpent les liserons, parmi les chiendents et les mousses, une pierre. Cette pierre n'est pas plus exempte que les autres des lèpres du temps, de la moisissure, du lichen, et des fientes d'oiseaux. L'eau la verdit, l'air la noircit. Elle n'est voisine d'aucun sentier, et l'on n'aime pas aller de ce côté-là, parce que l'herbe est haute et qu'on a tout de suite les pieds mouillés. Quand il y a un peu de soleil, les lézards y viennent. Il y a, tout autour, un frémissement de folles avoines. Au printemps, les fauvettes chantent dans l'arbre. Cette pierre est toute nue. On n'a songé en la taillant qu'au nécessaire de la tombe, et l'on n'a pris d'autre soin que de faire cette pierre assez longue et assez étroite pour couvrir un homme. On n'y lit aucun nom. Seulement, voilà de cela bien des années déjà, une main y a écrit au crayon ces quatre vers qui sont devenus peu à peu illisibles sous la pluie et la poussière, et qui probablement sont aujourd'hui effacés :

« Il dort. Quoique le sort fût pour lui bien étrange,
Il vivait. Il mourut quand il n'eut plus son ange,
La chose simplement d'elle-même arriva,
Comme la nuit se fait lorsque le jour s'en va. »

Victor Hugo

« Je veux être Chateaubriand ou rien »

Victor Hugo est le plus grand et le plus connu des écrivains français. Poète, romancier, auteur dramatique, homme politique, peintre, il a dominé le XIXe siècle littéraire et politique autant par la durée de sa vie que par la diversité de son œuvre. Son existence est à l'image des bouleversements du siècle qu'il a traversé d'un bout à l'autre.

Victor Hugo

Une enfance tourmentée

Troisième enfant du général d'Empire Léopold Hugo et de Sophie Trébuchet, issue de la bourgeoisie aisée de Nantes, Victor Hugo est né le 26 février 1802 à Besançon. Il n'a pas un an lorsque ses parents se séparent : entre son père, républicain et bonapartiste, et sa mère, royaliste qui hait profondément Napoléon, les disputes sont de plus en plus fréquentes. De guerre lasse, Sophie quitte son mari alors en service en Espagne et rentre à Paris avec ses trois enfants. Elle y retrouve un ami de Léopold, Victor Fanneau de la Horie, parrain de Victor, qui se prendra d'affection pour son filleul et lui donnera le goût de l'étude et de la lecture. Lorsque sa mère meurt en 1821, Victor Hugo est déjà écrivain. Et royaliste. L'année précédente, il a reçu du roi Louis XVIII une pension pour son *Ode sur la Mort du Duc de Berry* – fils du futur roi Charles X, assassiné par un ouvrier bonapartiste.

Une admiration inconditionnelle

C'est à cette même époque que Victor Hugo retrouve à Paris une amie d'enfance, Adèle Foucher, avec laquelle il jouait lorsqu'il avait huit ou neuf ans et dont il était déjà amoureux. Les jeunes gens veulent se marier, mais Victor est mineur ; il lui faut obtenir l'autorisation de son père. Par lettre, le général la lui accorde ; c'est le début du rapprochement entre un père absent et un fils qui, subjugué par sa mère, l'avait renié. La rencontre entre ces deux hommes si différents a lieu à Blois, un an plus tard. De leurs retrouvailles, du long entretien qu'ils auront à cette occasion, naîtra chez le royaliste Hugo une admiration inconditionnelle pour la République et pour Napoléon. Comment ne pas voir dans Marius, son grand-père et le colonel Pontmercy, une version romancée des sentiments que dut éprouver le jeune marié en découvrant ce père méconnu, mis à l'écart de la famille par sa mère ?

Napoléon

Madame Victor Hugo

Le chef du mouvement romantique

Notre-Dame de Paris

Les années passent. En 1832, Victor et Adèle ont quatre enfants : Léopoldine, Charles, François Victor et Adèle ; quant à Hugo, il est le chef de file du mouvement romantique ; le poète a publié trois recueils de poésies (*Odes et Ballades*, 1826 ; *Les Orientales*, 1829 ; *Les Feuilles d'Automne*, 1831) ; l'auteur dramatique, *Cromwell* (1827) et *Hernani* (1830), le romancier, *Han d'Islande* (1823), *Bug-Jargal* (1826), *Le Dernier jour d'un Condamné* (1829), qui marque le début de son engagement social, et *Notre-Dame de Paris* (1831), roman historique où apparaissent ses thèmes de prédilection : Quasimodo, le monstrueux et tendre carillonneur prisonnier de sa Tour, Frollo, l'archidiacre assassin, impitoyable amoureux d'Esmeralda, le peuple, la foule, la solidarité des humbles. ...

La rançon de la gloire

Dans l'appartement de Victor Hugo, rue Notre-Dame-des-Champs, se réunissent régulièrement les principaux représentants du mouvement romantique : Vigny, Dumas, Balzac, Mérimée, Nerval, Gautier. Et Sainte-Beuve, l'ami infidèle qui sera l'amant d'Adèle et provoquera la rupture entre les deux époux. Le mari blessé se console l'année suivante auprès de Juliette Drouet, une actrice dramatique qui lui vouera un amour absolu jusqu'à la fin de ses jours.

Juliette Drouet

31 juillet 1830 : Louis-Philippe quitte le Palais-Royal

Léopoldine

Après avoir assisté sans enthousiasme à la Révolution de Juillet (1830), Victor Hugo finit par se rapprocher de Louis-Philippe et de la monarchie constitutionnelle. Élu à l'Académie française en 1841, il met sa carrière littéraire entre parenthèses et voyage fréquemment avec Juliette Drouet, en France et en Europe. Nommé pair de France, il prononce plusieurs discours qui font sensation, notamment contre la peine de mort et l'injustice sociale. C'est au cours de cette période qu'un drame familial le plonge dans un immense désespoir. Sa fille Léopoldine, à peine mariée, se noie dans la Seine avec son mari. Le poète apprend par hasard la nouvelle en lisant un journal dans les Pyrénées où il séjourne avec Juliette. La douleur du poète est telle qu'il ne peut l'exprimer ; ce n'est que treize ans plus tard, en 1856, qu'il osera publier les dix-sept douloureux poèmes que lui ont inspiré la disparition de sa fille (*Les Contemplations, Livre IV*).

L'exil

Lorsqu'éclate la Révolution de 1848, Victor Hugo se range d'abord du côté du président de la jeune république, le prince Louis-Napoléon Bonaparte. S'étant rapidement aperçu des ambitions autoritaires du neveu de l'empereur, il combat le futur despote dans *l'Événement*, le journal qu'il a fondé, et tente en vain, le 2 décembre 1851, jour du coup d'état, de soulever le peuple de Paris. Obligé de fuir la capitale, il se réfugie d'abord en Belgique avant de s'installer dans l'île anglo-normande de Guernesey et entamer un exil de dix-neuf années, au cours desquelles il écrit son chef-d'œuvre, *Les Misérables*, publié en 1862.

Le Panthéon

Un mythe universel

À la chute de l'Empire, en 1870, Victor Hugo rentre en France, accueilli à Paris par une foule immense et auréolé d'une gloire qui dépasse les frontières de l'Hexagone et de la littérature : le proscrit d'hier est devenu un mythe universel, l'homme le plus célèbre de son siècle. Élu député de Paris, il continue de se battre contre la peine de mort, contre la misère et l'injustice et réclame (déjà), la création des États-Unis d'Europe. Entre temps, les drames familiaux s'accumulent sur le vieil homme ; de 1871 à 1873, Victor Hugo perd ses deux fils, Charles et François Victor, et doit se résoudre, la mort dans l'âme, à faire interner sa fille, Adèle, dans un hôpital psychiatrique. Elle sera la seule de ses enfants à lui survivre. Lorsqu'il meurt, le 22 mai 1885, son cercueil est exposé une nuit sous l'Arc de triomphe, et plus d'un million de personnes suivent, le lendemain, le « corbillard des pauvres » qui le conduit au Panthéon.

Victor Hugo témoin de son temps

Commencé en 1845 sous le titre *Les Misères*, Le roman dont Victor Hugo avait la conviction qu'il serait « un des principaux sommets, sinon le principal de [son] œuvre », deviendra en 1862, *Les Misérables*. Œuvre de fiction, ce roman mondialement connu n'en est pas moins le témoignage romancé de choses vues et vécues par l'auteur, les personnages ressemblant en tout point, dans la réalité de leur condition, à la version romancée qu'il donne à lire pour la première fois dans l'histoire de la littérature.

Javert et son double

Lorsque paraissent, en 1828, ses *Mémoires* qui le font connaître du grand public, François Vidocq (1775-1857) est surtout connu des services de police. Voleur, faussaire, escroc, bagarreur, déserteur, forçat, mouchard, chef de la Sûreté, commerçant, manufacturier, inventeur même, les exploits de ce fils de boulanger devenu entre temps le premier policier de France ont un énorme retentissement dans la société de l'époque. Traqué pendant près de quinze ans par tous les Javert du royaume, racketté par ses anciens complices qui, l'ayant reconnu pendant sa clandestinité, se faisaient payer chèrement leur silence, il avait fini par offrir ses services à ceux qui le pourchassaient, et était devenu le meilleur d'entre eux. Le destin hors du commun de cet homme insaisissable inspira des écrivains comme Honoré de Balzac (le personnage de Vautrin qui apparaît dans plusieurs romans de La *Comédie Humaine*, 1829-1850), Alexandre

François Vidocq

Dumas (*Le Comte de Monte-Cristo*, 1844), Eugène Sue (*Les Mystères de Paris*, 1843), et probablement Conan Doyle auquel il servit de modèle à son célèbre Sherlock Holmes. Quant à Victor Hugo, il s'intéressera autant au policier exceptionnel, surnommé « le Napoléon de la police », qu'au destin emblématique de l'homme et à sa récupération sociale. Côté pile, le fonctionnaire Vidocq devient, sous la plume de l'auteur des *Misérables*, Javert, symbole d'intransigeance et de dévouement à l'ordre

La bagne de Toulon en 1830

établi - mouchard aussi : pendant les émeutes de juin 1832, Vidocq sera chargé d'espionner les insurgés (comme Javert) ; côté face, le bagnard reconverti en manufacturier embauchant dans sa fabrique de papier d'anciens détenus des deux sexes, renvoie à Jean Valjean, alias monsieur Madeleine : même physique imposant, même force prodigieuse, même parcours de rédemption. Comme son alter ego de fiction, Vidocq avait dans sa jeunesse volé des couverts en argent (ceux de ses parents, à treize ans) ; comme le maire de Montreuil, le manufacturier Vidocq sauvera la vie à l'un de ses ouvriers écrasé sous une charrette dans sa fabrique de papier de Saint-Mandé. Mais à la différence du vieil homme qui s'éteint paisiblement à la fin du roman entouré de ses « chers enfants », Vidocq mourra seul et méprisé du pouvoir qu'il avait pourtant servi avec zèle. Valjean-Javert, deux personnages indissociables comme l'endroit et l'envers d'une même médaille. Pouvait-il en être autrement ? De tous les écrivains qui s'en sont inspiré, seul Hugo avait compris que la vie de François Vidocq était trop grande pour un seul homme.

Colonne de bagnards vers 1830

• • •

La condition féminine

Qu'elles soient bourgeoises, paysannes, ouvrières ou domestiques, les femmes n'ont aucun droit reconnu lorsque Victor Hugo écrit *Les Misérables*. Leur statut est soumis au Code Napoléon qui leur interdit, entre autres, de se marier sans le consentement de leur père, d'exercer un métier sans le consentement de leur mari, ou de disposer librement de leur argent. Jusqu'en 1867, elles n'ont pas accès à l'instruction. Victimes de discrimination sur le plan juridique, les femmes le sont aussi au niveau des mœurs : un homme infidèle est passible d'une amende ; pour une femme, c'est la prison. Hormis quelques rares exceptions, aucun homme ne s'indigne à l'époque de leur condition subalterne. Au contraire, un socialiste comme Proudhon ira jusqu'à écrire : « *L'humanité ne doit aux femmes aucune idée morale, politique, philosophique. L'homme invente, perfectionne, travaille, produit et nourrit la femme. Celle-ci n'a même pas inventé son fuseau et sa quenouille* ». Bien que la révolution industrielle fasse de plus en plus appel à la main d'œuvre féminine et attire les femmes de la campagne vers les villes, celles-ci n'en tirent aucun avantage ; moins payées que les hommes, soumises à une hiérarchie toute masculine, elles sont en outre les premières victimes en cas de crise. Or, si une femme mariée qui perd son travail peut réintégrer son foyer et s'y rendre utile, les célibataires se retrouvent, elles, sans ressources, loin de leur village d'origine, et n'ont souvent d'autre choix pour survivre que de recourir à la prostitution.

Frédéric Bazille, *Réunion de famille*, 1850

Les enfants au travail

Melancholia

« *Où vont tous ces enfants dont pas un seul ne rit ?*
Ces doux êtres pensifs que la fièvre maigrit ?
Ces filles de huit ans qu'on voit cheminer seules ?
Ils s'en vont travailler quinze heures sous des meules ;
Ils vont, de l'aube au soir, faire éternellement
Dans la même prison le même mouvement. »

Victor Hugo, *Les Contemplations, Livre III,* (extrait).

Le travail des enfants était courant au XIXe siècle. Petit-Gervais, le ramoneur savoyard auquel Jean Valjean vole ses deux francs, ou Cosette, la petite martyre des Thénardier, sont loin d'être des exceptions. À la campagne, les enfants travaillent dans les champs et s'occupent des animaux de la ferme ; dans les régions industrialisées, comme le nord et l'est de la France, ils sont employés partout où le travail ne peut être accompli par une machine ou par un adulte : dans les étroites galeries de mine, ils poussent des wagons remplis de minerais ; dans l'industrie textile, ils ramassent les fils sous les métiers à tisser ; dans les usines et les ateliers, ils surveillent le fonctionnement des machines. Leurs journées de travail durent en moyenne quinze heures. À l'époque où Hugo écrit, il y a en France 125 000 enfants âgés de huit à seize ans qui travaillent dans l'industrie. Sans compter les enfants des rues, comme Gavroche. Orphelins ou simplement abandonnés par leurs parents, ils traînent dans les grandes villes, sans ressources, vivent d'expédients, et sont souvent obligés de voler pour se nourrir. On ignore leur nombre exact, mais ils sont suffisamment nombreux pour qu'en 1850 Louis Napoléon Bonaparte crée pour eux des centres de rééducation par le travail. De 1 000 à 3 000 enfants perdus seront ainsi déportés chaque année jusqu'à la fin du XIXe siècle dans ces colonies pénitentiaires, une soixantaine, qui se révéleront être de véritables bagnes où les jeunes détenus subissent les pires privations, endurent les plus cruels châtiments, lorsqu'ils ne meurent pas suite aux mauvais traitements qui leur sont infligés.

Victor Hugo et les enfants en 1882

BILAN

1a **48 mots sont dissimulés dans la grille. Trouve-les et contextualise les plus significatifs dans une phrase en rapport avec l'histoire.**

Exemple F3-V **jardinier** – A17-H **couvent**

Poursuivis par Javert, Jean Valjean et Cosette se réfugient dans un **couvent** *où l'ancien forçat devient* **jardinier** *en se faisant passer pour le frère du vieux Fauchelevent.*

1b **Les lettres restantes, alignées et opportunément séparées en mots forment une célèbre citation de Victor Hugo sur la justice, les lois et l'application des peines.**

	A	B	C	D	E	F	G	H	I	J	K	L	M	N	O	P	Q	R	S	T
1	L	A	P	P	A	R	T	E	M	E	N	T	E	M	P	L	O	Y	É	E
2	S	B	Â	T	I	S	S	E	L	O	I	L	O	G	I	S	S	F	O	P
3	P	N	T	I	H	J	A	U	B	E	R	G	I	S	T	E	L	E	S	R
4	R	J	G	N	Ô	A	B	A	G	N	A	R	D	B	É	V	Ê	C	H	É
5	I	A	E	F	P	R	A	G	N	E	S	M	A	I	R	I	E	R	L	F
6	S	R	N	I	I	D	A	I	N	F	I	R	M	E	R	I	E	E	V	E
7	O	D	D	R	T	I	B	C	A	F	É	B	A	G	N	E	E	L	T	C
8	N	I	A	M	A	N	U	F	A	C	T	U	R	E	S	V	T	I	A	T
9	P	N	R	I	L	I	R	E	D	É	T	E	N	U	R	E	O	G	U	U
10	R	U	M	E	J	E	E	A	G	M	A	I	S	O	N	Q	E	I	D	R
11	E	D	E	R	U	R	A	T	U	E	G	O	U	T	F	U	O	E	I	E
12	F	R	R	Ç	G	A	U	E	F	A	B	R	I	Q	U	E	T	U	S	E
13	E	S	I	T	E	É	G	L	I	S	E	T	A	I	L	L	E	S	E	D
14	T	T	E	M	O	I	N	I	T	R	I	B	U	N	A	L	A	E	C	N
15	G	E	N	D	A	R	M	E	L	O	C	A	T	A	I	R	E	M	U	S
16	L	A	R	A	U	B	E	R	G	E	O	B	E	H	A	N	G	A	R	R
17	C	O	U	V	E	N	T	O	U	F	O	R	Ç	A	T	G	E	S	É	D
18	U	S	O	U	T	E	R	R	A	I	N	J	B	A	R	A	Q	U	E	U
19	C	L	I	E	N	T	C	H	A	M	B	R	E	G	M	A	I	R	E	E
20	H	Ô	T	E	L	D	E	V	I	L	L	E	O	U	V	R	I	E	R	S

CONTENUS

Contenu lexical
- Le portrait physique et moral.
- Le travail, la misère, la loi, l'oppression.
- L'argent, la richesse, la pauvreté.
- L'amour, la haine, la jalousie, les sentiments.
- La justice, le courage, l'honnêteté, la révolte.

Contenu grammatical
- Les déterminants du nom.
- Le féminin et le pluriel des noms et des adjectifs.
- Les adjectifs et les pronoms indéfinis.
- Les pronoms personnels sujets et compléments.
- Les pronoms relatifs, simples et composés.
- Les conjonctions.
- Les adverbes et les prépositions.
- Le système verbal.
- L'emploi des temps et des modes.
- La condordance des temps.
- L'accord du participe passé.
- La voix passive.
- La phrase simple et complexe.

Compétences communicatives
- Repérer les informations essentielles d'un texte narratif et/ou argumentatif.
- Repérer les indices lexicaux, d'énonciation et d'organisation d'un énoncé.
- Résumer un texte narratif et/ou argumentatif en respectant le schéma du texte source.
- Planifier puis rédiger un texte narratif, descriptif ou argumentatif à partir d'un sujet donné.

LECTURES **ELi** SENIORS